NOUVEAUX CLASSIQUES LAROUSSE

FONDÉS PAR
FÉLIX GUIRAND
Agrégé

LA PESTE

extraits

Phot. A. G. I. P.

ALBERT CAMUS A L'ÉPOQUE DE « LA PESTE »

La publication du présent ouvrage a été
autorisée par la Librairie Gallimard.

ALBERT CAMUS

LA PESTE

extraits

avec une Notice biographique, une Notice historique
et littéraire, des Notes explicatives, des Jugements,
un Questionnaire et des Sujets de devoirs,

par

LOUIS FAUCON
Inspecteur général de l'Instruction publique
Ancien Directeur de l'Enseignement et de la Jeunesse
de la France d'outre-mer

LIBRAIRIE LAROUSSE
17, rue du Montparnasse, et boulevard Raspail, 114
Succursale : 58, rue des Écoles (Sorbonne)

ALBERT CAMUS ET SON TEMPS

	LA VIE ET L'ŒUVRE D'A. CAMUS	LE MOUVEMENT INTELLECTUEL ET ARTISTIQUE	LES ÉVÉNEMENTS HISTORIQUES
1913	Naissance d'A. Camus à Mondovi (Algérie), le 7 novembre.	Début de l'œuvre de Proust.	Loi de trois ans. Guerres balkaniques.
1930-31	Premières atteintes de la maladie.	G. Duhamel : *Scènes de la vie future.* Saint-Exupéry : *Vol de nuit.* Bernanos : *la Grande Peur des bien-pensants.* P. Valéry : *Regards sur le monde actuel.*	Naissance de la République espagnole.
1933	Premier mariage, rompu trois ans plus tard.	A. Malraux : *la Condition humaine.* J. Grenier : *les Iles.* G. Duhamel : début de la *Chronique des Pasquier.*	Hitler, chancelier du Reich.
1934	Adhésion au parti communiste; exclusion trois ans plus tard.	H. de Montherlant : *Service inutile.* J. Guéhenno : *Journal d'un homme de quarante ans.* Travaux d'I. et F. Joliot-Curie sur la radio-activité.	Troubles à Paris. Assassinats du chancelier d'Autriche et du roi de Yougoslavie.
1936	Diplôme d'études supérieures : *Métaphysique chrétienne et néoplatonisme.*	J. Giraudoux: *La guerre de Troie n'aura pas lieu.* G. Bernanos : *Journal d'un curé de campagne.* Gide : *Retour d'U.R.S.S.* Charlie Chaplin : *les Temps modernes.*	Triomphe du Front populaire. Gouvernement Léon Blum. Guerre civile en Espagne. Procès de Moscou.
1937	*L'Envers et l'endroit.*	A. Malraux : *l'Espoir.* J. Giraudoux : *Electre.* R. Martin du Gard prix Nobel. J. Renoir : *la Grande Illusion.*	Exposition internationale de Paris. Guerre sino-japonaise.
1938	*Noces.*	G. Bernanos : *les Grands Cimetières sous la lune.* J.-P. Sartre : *la Nausée.*	Annexion de l'Autriche par l'Allemagne. Crise tchécoslovaque. Accords de Munich.
1939	Reportage sur la Kabylie dans *Alger Républicain.*	Saint-Exupéry : *Terre des hommes.* J.-P. Sartre : *le Mur.*	Pacte germano-soviétique. Invasion de la Pologne. Seconde Guerre mondiale.
1940	Journaliste à Alger, Paris et Lyon. Second mariage.	Aragon : *le Crève-Cœur.*	Bataille de France. Appel du 18 juin. Fin de la IIIᵉ République.

1942	*L'Etranger. Le Mythe de Sisyphe.*	H. de Montherlant : *La Reine morte.* Saint-Exupéry : *Pilote de guerre.*	Procès de Riom. Débarquement allié en Afrique du Nord. Contre-offensive russe.
1944	Rédacteur en chef de *Combat. Le Malentendu* (théâtre des Mathurins, 27 mai).	J.-P. Sartre : *Huis clos,* J. Anouilh : *Antigone.* Mort de R. Rolland, de Saint-Exupéry et de Giraudoux.	6 juin : Débarquement allié en Normandie. 19-24 août : insurrection et libération de Paris.
1945	1re de *Caligula* (théâtre Hébertot, 25 septembre). Publication en volume des quatre *Lettres à un ami allemand.*	J.-P. Sartre : *L'Age de raison.* Mort de P. Valéry. Mort de R. Desnos en déportation.	Capitulation allemande. Bombe atomique sur Hiroshima. Fondation de l'O. N. U. et de l'U. N. E. S. C. O.
1947	Départ de *Combat. La Peste.*	A. Malraux : *Psychologie de l'art.* Gide prix Nobel.	Débuts de la IVe République. Plan Marshall.
1948	*L'Etat de siège* (théâtre Marigny, 27 octobre).	H. de Montherlant : *le Maître de Santiago.* Saint-Exupéry : *Citadelle.* J.-P. Sartre : *les Mains sales.* Mort de G. Bernanos.	Débuts de la « guerre froide ».
1949	*Les Justes* (théâtre Hébertot, 15 décembre).	J.-P. Sartre : *la Mort dans l'âme.*	Pacte atlantique.
1950	*Actuelles.*	J. Cocteau : *les Enfants terribles* (film).	Début de la guerre de Corée.
1951	*L'Homme révolté.* Controverse Sartre-Camus.	A. Malraux : *les Voix du silence.* Mort d'A. Gide.	Traité de paix avec le Japon.
1953	*Actuelles II.*	P. Claudel : *Christophe Colomb.* Malraux : *le Musée imaginaire de la sculpture mondiale.* Mort d'Eluard.	Émeutes à Berlin-Est. Mort de Staline.
1954	*L'Eté.*	H. de Montherlant : *Port-Royal.*	Début de l'insurrection algérienne.
1956	*La Chute.*	Bresson : *Un condamné à mort s'est échappé.* Resnais : *Nuit et brouillard.*	Insurrection hongroise. Affaire de Suez.
1957	*L'Exil et le royaume.*	Le prix Nobel est attribué à Albert Camus.	Premier satellite artificiel (U. R. S. S.).
1958	*Chroniques algériennes* (*Actuelles III*).	Mort de Rouault, Vlaminck, Fr. Carco, R. Martin du Gard, Joliot-Curie. L. Aragon : *la Semaine sainte.*	Troubles à Alger. De Gaulle au pouvoir. Constitution de la Ve République.
1960	4 janvier, mort accidentelle d'A. Camus. 22 septembre, mort de sa mère.	Saint-John Perse prix Nobel.	L'Afrique d'expression française et Madagascar admises à l'O. N. U.

RÉSUMÉ CHRONOLOGIQUE DE LA VIE D'ALBERT CAMUS
(1913-1960)

1913 (7 novembre). — Naissance d'Albert Camus à Mondovi (Algérie).

1918-1923. — Albert Camus entre à l'école communale, puis, comme boursier, au lycée.

1930. — Premières atteintes de la maladie.

1932. — Études à la faculté des lettres d'Alger. Divers emplois.

1933. — Premier mariage, rompu trois ans plus tard.

1934. — Adhésion au parti communiste; exclusion trois ans plus tard.

1935-1939. — Activités théâtrales : le *Théâtre du Travail* (1935-1937), auquel succède le *Théâtre de l'Équipe* (1937-1939).

1936. — Diplôme d'études supérieures : *Métaphysique chrétienne et néoplatonisme*. Voyage en Europe centrale et en Italie.

1937. — Son état de santé fait renoncer Albert Camus à l'agrégation. Séjour en France. Publie *l'Envers et l'endroit* (essais écrits en 1935 et 1936).

1938. — Publie *Noces* (proses poétiques rédigées en 1936 et 1937). Écrit *Caligula* et commence *l'Étranger*. Débuts dans le journalisme.

1939. — *Misère de la Kabylie*, reportage à *Alger Républicain* (juin). Albert Camus qui veut s'engager à la déclaration de guerre est ajourné pour raison de santé.

1940. — Journaliste à Alger, puis à Paris. Achève *l'Étranger* (mai). A Clermont, commence *le Mythe de Sisyphe*. Séjour à Lyon. Second mariage.

1941. — A Oran. Termine *le Mythe de Sisyphe* (février). Prépare *la Peste*.

1942. — Publie *l'Étranger* (juillet), puis *le Mythe de Sisyphe*.

1943. — Retour dans la métropole : Lyon, puis Paris. Entre au mouvement *Combat*. Albert Camus restera séparé des siens jusqu'à la Libération. Écrit *le Malentendu*. Première *Lettre à un ami allemand* écrite en juillet, publiée en décembre.

1944. — Deuxième *Lettre à un ami allemand* écrite en décembre 1943, publiée en février 1944. Rédacteur en chef de *Combat*. Première représentation du *Malentendu*, au théâtre des Mathurins (27 mai).

1945. — Publication des quatre *Lettres à un ami allemand*. Naissance de ses deux enfants jumeaux : Jean et Catherine. Première représentation de *Caligula*, au théâtre Hébertot (25 septembre).

1946. — Voyage aux États-Unis (mars). Achève *la Peste*.

1947. — Quitte *Combat*. Publie *la Peste* (juin).

1948. — Première représentation de *l'Etat de siège*, au théâtre Marigny (27 octobre).

1949. — Voyage en Amérique du Sud (juin-août). Première représentation des *Justes*, au théâtre Hébertot (15 décembre).

1950. — *Actuelles, chroniques 1944-1948.*

1951. — *L'Homme révolté* (novembre). Controverse Sartre-Camus.

1952. — Voyage en Algérie.

1953. — *Actuelles II, chroniques 1948-1953.* Adaptation de *la Dévotion à la croix* de Calderón et des *Esprits* de Larivey au Festival d'Angers les 14 et 16 juin.

1954. — *L'Eté*, recueil d'écrits publiés de 1939 à 1953.

1955. — Voyage en Grèce (mai).

1956. — *La Chute* (mai). Adaptation de *Requiem pour une nonne* de Faulkner, au théâtre des Mathurins (20 septembre).

1957. — *L'Exil et le royaume* (mars). *Réflexions sur la peine capitale*. Le *Chevalier d'Olmedo*, adapté de Lope de Vega (21 juin). Prix Nobel de littérature. *Discours de Suède*, prononcés les 10 et 14 décembre, publiés l'année suivante.

1958. — *Chroniques algériennes 1939-1958 (Actuelles III)*. Voyage en Grèce (juin). Réédition de *l'Envers et l'endroit* avec une importante préface.

1959. — Adaptation des *Possédés* de Dostoïevsky, au théâtre Antoine (28 janvier).

1960. — 4 janvier : mort accidentelle d'Albert Camus. 22 septembre : mort de Catherine Camus (1882-1960), mère de l'écrivain.

Albert Camus avait trente et un ans de moins que Jean Giraudoux ; vingt-neuf ans de moins que Georges Duhamel ; vingt-huit ans de moins que François Mauriac et Jules Romains ; vingt-cinq ans de moins que Bernanos ; dix-huit ans de moins qu'Eluard et Jean Giono ; dix-sept ans de moins qu'André Breton et Henry de Montherlant ; quinze ans de moins que Jean Grenier ; treize ans de moins que Saint-Exupéry et André Chamson ; douze ans de moins qu'André Malraux ; huit ans de moins que Jean-Paul Sartre ; trois ans de moins que Jean Anouilh.

ALBERT CAMUS

L'œuvre d'Albert Camus présente les caractères d'une parfaite « lisibilité ». Il n'est cependant pas aisé d'en dégager la signification d'ensemble à qui passe de l'exaltation sensuelle de *Noces* à l'élévation morale de *la Peste*, du tragique lyrique de *Caligula* à l'ironie caustique de *la Chute*, de la manie d'indifférence qui imprègne *l'Etranger* à l'obsession du contact humain qui anime *l'Exil et le royaume*. La prudence exige en tout cas qu'on l'examine dans son développement chronologique, en situant chaque titre à sa place, compte tenu des écarts parfois importants qui séparent les dates auxquelles certains écrits ont pris naissance et celles auxquelles ils ont vu le jour.

***

Les deux premiers ouvrages de Camus ont longtemps connu une audience restreinte. *L'Envers et l'endroit*, composé de cinq récits écrits en 1935 et 1936, a paru en 1937, à Alger, à un petit nombre d'exemplaires, et n'a été réédité qu'en 1957 et en 1958. *Noces*, recueil de proses poétiques rédigées en 1936 et 1937, a été publié dans les mêmes conditions en 1938, puis en 1945, et n'a pas bénéficié d'un grand tirage lorsqu'il est de nouveau sorti des presses en 1947. Nées de la « pauvreté » et de la « lumière », ces deux plaquettes disent le refus d'une société souillée par ses routines, ses iniquités, ses mensonges, et la condamnation d'une création viciée par la maladie et par la mort; mais elles chantent aussi, contre les abstractions de la vie éternelle, les bonheurs que prodigue la vie corporelle et dont il importe de jouir en sachant qu'ils sont passagers.

Caligula, *l'Etranger*, *le Mythe de Sisyphe*, *le Malentendu* vont plus loin dans la négation sans proposer les mêmes revanches : empereur, employé, héros, voyageur, criminels ou innocents, condamnés par les hommes ou par les dieux, déments ou abouliques, lucides ou aveugles, les quatre personnages principaux démontrent que notre lot est l'arbitraire, l'incompréhension, l'injustice, l' « absurdité ». Ces œuvres ont accrédité l'idée d'un Camus radicalement pessimiste que le public, à la fin de la guerre et dans les années qui suivirent, eut tôt fait d'apparenter aux « existentialistes » à la mode[1]. En réalité, *l'Etranger*, publié en

---

1. Sur ce... malentendu, voir la mise au point humoristique de « l'Enigme », dans *l'Eté*, et l'interview recueillie par Jeanine Delpech dans *les Nouvelles littéraires* du 15 novembre 1945 : « Non, je ne suis pas existentialiste », nous dit Albert Camus.

juillet 1942, avait été achevé en mai 1940. *Le Mythe de Sisyphe*, publié à la fin de 1942, avait été écrit entre septembre 1940 et février 1941. *Le Malentendu*, représenté pour la première fois au théâtre des Mathurins, à Paris, le 27 mai 1944, avait été écrit en 1942 et terminé en février 1943. *Caligula*, que l'on croyait, après la Libération, l'ouvrage le plus récent de la série, parce qu'il avait été publié en 1944, avec *le Malentendu*, et représenté pour la première fois au théâtre Hébertot, à Paris, le 25 septembre 1945, était en réalité le plus ancien, puisqu'il avait été intégralement rédigé en 1938[1]. C'est autour de cette dernière date que le récit, essai et le second drame avaient été conçus, voire largement commencés. En présentant ces œuvres au public après un assez long délai d'élaboration, Albert Camus obéissait sans doute au démon créateur, mais il s'acquittait aussi d'un témoignage qui lui tenait à cœur, peut-être justement parce qu'il était tardif. Évoquer le nihilisme qui l'avait personnellement tenté naguère, c'était un moyen de l'exorciser alors chez autrui.

D'ailleurs, même aux plus mauvais moments, il n'avait jamais cédé à l'abandon. Son inquiétude devant un avenir sans issue et un monde sans raison avait jeté des reflets sombres sur son inspiration, mais, porté à se donner comme hygiène ce qu'il avait subi comme souffrance, il avait, pour sa gouverne, cherché dans la mise en question des valeurs établies et de la légitimité de l'existence l'occasion d'éprouver son pouvoir d'organiser dans le chaos un ordre à sa mesure. Cette tendance ne se manifeste que discrètement dans les œuvres composées pendant la période qui précède immédiatement les hostilités et dans la phase la plus déprimante de l'Occupation; elle s'impose à partir de 1943, année climatérique qui voit Camus occuper dans la Résistance un poste de responsabilité nationale à la direction du journal *Combat*[2].

Dès lors, aux deux confessions égotistes de *l'Envers et l'endroit* et de *Noces* vont succéder deux manifestations d'« engagement » : de 1943 à 1945, les *Lettres à un ami allemand*, réquisitoire contre le despotisme, le nationalisme, le racisme[3], et, de 1943 à 1947, les articles de *Combat*, apologie pour une politique de l'honnêteté[4]. De même, après *Caligula*, *l'Étranger*, *le Mythe de Sisyphe*, le

---

1. Une version remaniée de *Caligula* a été donnée au *Nouveau Théâtre de Paris* en février 1958; **2.** Sur l'histoire du mouvement *Combat*, cf. l'étude documentée de Marie Granet et d'Henri Michel (P. U. F., 1957); **3.** Les *Lettres à un ami allemand* sont au nombre de quatre. La première, écrite en juillet 1943, a été publiée en décembre de la même année dans *la Revue libre ;* la seconde, écrite en décembre 1943, a paru au début de 1944, dans *les Cahiers de la Libération*. Les deux autres, écrites respectivement en avril et en juillet 1944 et destinées à *la Revue libre*, sont restées inédites jusqu'à la publication en volume qui a groupé les quatre textes en 1945; **4.** Quelques-uns des articles parus après la Libération ont été reproduits dans *Actuelles*. Les « leaders » du *Combat* clandestin n'ont pas été recueillis par Albert Camus.

Malentendu, tétralogie du désespoir et de la solitude, viendront *la Peste*, *l'Etat de siège*, *les Justes*, *l'Homme révolté*[1], tétralogie de la révolte et de la solidarité.

Au cours des dernières années, de 1952 à 1960, apparaissent des œuvres plus variées : essais de l'époque antérieure recueillis dans *l'Eté* (1954), récit satirique de *la Chute* (1956), nouvelles de *l'Exil et le royaume* (1957), adaptation de pièces dramatiques anciennes ou modernes, exposés de doctrine esthétique dans les *Discours de Suède* (1958) ou politique dans *Actuelles II* (1953) et *Chroniques algériennes*, *Actuelles III* (1958). Littérature d' « homme de quarante ans » — selon l'expression à laquelle Guéhenno a donné un contenu plus humain que Péguy[2] —, soucieuse d'ordonner le passé en dressant ses bilans critiques, mais avide aussi d'organiser l'avenir en préludant par les recherches de l'inventaire aux renouveaux de l'invention.

Au lendemain de l'attribution du prix Nobel, Camus nous avait prévenus qu'il lui restait beaucoup à dire et que toute une part de lui-même ne s'était pas encore exprimée : « Je continue de vivre », écrivait-il en 1958 dans la « Préface » de *l'Envers et l'endroit*, « avec l'idée que mon œuvre n'est même pas commencée ». Cette phrase a pris, depuis l'accident « absurde » du 4 janvier 1960, un accent singulier. Faut-il, pour percer le mystère[3], guetter la publication des manuscrits qu'il a laissés : la suite des *Carnets* tenus depuis sa jeunesse; un drame, *Don Juan ;* des essais, *les Nouvelles de l'exil* et *le Mythe de Némésis ;* un roman, qui devait être son livre de prédilection, *le Premier Homme ?* Ces ouvrages posthumes nous apporteront-ils plus que ceux qu'il nous a déjà confiés ?

Il reste qu'au travers de cette œuvre inachevée, Albert Camus, tout en se défendant d'être un « maître à penser », nous offre une leçon qu'on ne sera pas oubliée : dans un monde qu'il est illusoire de chercher à justifier, dans un temps qu'il est criminel de vouloir absoudre, le courage, s'il s'appuie sur la probité, ouvre, pour l'honneur de l'homme, ses chances à l'action.

---

1. *La Peste* a été publiée en juin 1947. La création de *l'Etat de siège* date du 27 octobre 1948, au théâtre Marigny; celle des *Justes*, du 15 décembre 1949, au théâtre Hébertot. *L'Homme révolté* a été publié à la fin de 1951. Il a suscité de violentes controverses, dont la plus éclatante a abouti à la rupture entre Sartre et Camus en 1952. (Cf. *les Temps modernes*, numéros de mai et d'août 1952); **2.** Cf. Péguy : *Clio* (1917), et Jean Guéhenno : *Journal d'un homme de quarante ans* (1934); **3.** Sur le « secret » d'Albert Camus, voir la dernière page de « Retour à Tipasa » (1952), dans *l'Eté*.

BIBLIOGRAPHIE

I. ŒUVRES D'ALBERT CAMUS

● A. En librairie[1] :

RÉCITS, NOUVELLES.

L'Etranger (Paris, Gallimard, 1942).
La Peste (Paris, Gallimard, 1947).
La Chute (Paris, Gallimard, 1956).
L'Exil et le royaume (Paris, Gallimard, 1957).

THÉÂTRE.

Caligula (Paris, Gallimard, 1944).
Le Malentendu (Paris, Gallimard, 1944).
L'Etat de siège (Paris, Gallimard, 1948).
Les Justes (Paris, Gallimard, 1950).

ESSAIS LITTÉRAIRES.

L'Envers et l'endroit (Paris, Charlot, 1937).
Noces (Paris, Charlot, 1938).
L'Eté (Paris, Gallimard, 1954).

ESSAIS PHILOSOPHIQUES.

Le Mythe de Sisyphe (Paris, Gallimard, 1942).
L'Homme révolté (Paris, Gallimard, 1951).

ESSAIS POLITIQUES.

Lettres à un ami allemand (Paris, Gallimard, 1945).
Actuelles, Chroniques 1944-1948 (Paris, Gallimard, 1950).
Actuelles II, Chroniques 1948-1953 (Paris, Gallimard, 1953).
Chroniques algériennes 1939-1958 (Actuelles III) [Paris, Gallimard, 1958].
Discours de Suède (Paris, Gallimard, 1958).

ŒUVRES AUTOBIOGRAPHIQUES.

Carnets, mai 1935-février 1942 (Paris, Gallimard, 1962).

ADAPTATIONS.

La Dévotion à la croix, de Calderón (Paris, Gallimard, 1952).
Les Esprits, de Larivey (Paris, Gallimard, 1953).
Un cas intéressant, de Dino Buzatti (*l'Avant-Scène*, 1955).
Le Chevalier d'Olmedo, de Lope de Vega (Paris, Gallimard, 1957).
Requiem pour une nonne, de Faulkner (Paris, Gallimard, 1957).
Les Possédés, de Dostoïevsky (Paris, Gallimard, 1959).

UNE QUINZAINE DE PRÉFACES.

---

1. La classification qui suit s'inspire de la dernière qu'Albert Camus ait établie. Les dates sont celles des premières éditions. Elles peuvent présenter des différences, pour quelques œuvres, avec celles de l'achèvement du manuscrit et, pour les pièces dramatiques, avec celles des premières représentations.

● B. Disques (avec la voix de l'auteur) :

Le Mythe de Sisyphe, l'Etat de siège, les Justes, le Malentendu (Philips, A. 76773).

Albert Camus vous parle : le Malentendu, l'Etranger, les Amandiers (Festival FLD 19).

II. ETUDES SUR ALBERT CAMUS

● A. ESSAIS :

Robert de LUPPÉ, *Albert Camus* (Paris, Édition Temps présent, 1951).

Robert de LUPPÉ, *Albert Camus* (Paris, Classiques du XXᵉ siècle, Éditions universitaires, 1952).

Albert MAQUET, *Albert Camus ou l'Invincible Eté* (Paris, Nouvelles Éditions Debresse, 1955).

Roger QUILLIOT, *la Mer et les prisons, essai sur Albert Camus* (Paris, Gallimard, 1956).

Jean-Claude BRISVILLE, *Camus* (Paris, Gallimard, 1959).

Georges HOURDIN, *Camus le juste* (Paris, les Éditions du Cerf, 1960).

Morvan LEBESQUE, *Camus par lui-même* (Paris, Éditions du Seuil, 1963).

● B. CHAPITRES CONSACRÉS À ALBERT CAMUS :

R.-M. ALBÉRÈS, « Albert Camus et le mythe de Prométhée », dans *la Révolte des écrivains d'aujourd'hui* (Paris, Corrêa, 1949). — « Albert Camus ou la Nostalgie de l'Eden », dans *les Hommes traqués* (Paris, la Nouvelle Édition, 1953).

P. de BOISDEFFRE, « Albert Camus », dans *Métamorphoses de la littérature*, t. II. (Paris, Alsatia, 1950; nouvelle édition remaniée, 1952). — « Apparition de Camus », et « l'Expérience théâtrale d'Albert Camus », dans *Une histoire vivante de la littérature d'aujourd'hui*, 1938-1958 (Paris, le Livre contemporain, 1958).

Charles MOELLER. « Albert Camus ou l'Honnêteté désespérée », dans *Littérature du XXᵉ siècle et christianisme*, t. Iᵉʳ (Paris, Casterman, 1953).

Maurice NADEAU, « Albert Camus et la tentation de la sainteté », dans *Littérature présente* (Paris, Corrêa, 1951).

Gaëtan PICON, « Albert Camus », dans *Panorama de la nouvelle littérature française* (Paris, Gallimard, 1949).

André ROUSSEAUX, « Albert Camus et la philosophie du bonheur », dans *Littérature du XXᵉ siècle*, troisième série (Paris, Albin Michel, 1949).

Pierre-Henri SIMON, « Albert Camus ou l'Invention de la justice », dans *l'Homme en procès* (Neuchâtel, La Baconnière, 1950). — « Albert Camus », dans *Témoins de l'homme* (Paris, A. Colin, 1951).

● C. ARTICLES :

« Les Carrefours d'Albert Camus » (*Esprit*, janvier 1950) : Rachel Bespaloff, « le Monde du condamné à mort »; Emmanuel Mounier, « Albert Camus ou l'Appel des humiliés ».

« Rencontre avec Albert Camus », interview recueillie par Gabriel d'Aubarède (*les Nouvelles littéraires*, 10 mai 1951).

« Camus prix Nobel » (*les Nouvelles littéraires*, 24 octobre 1957).

« Hommage à Albert Camus » (*le Figaro littéraire*, 26 octobre 1957).

« Hommage à Albert Camus » (*les Nouvelles littéraires*, 7 janvier 1960).

« La Mort d'Albert Camus » (*le Figaro littéraire*, 9 janvier 1960).

« Albert Camus » (*la Table ronde*, numéro spécial de février 1960).

« Hommage à Albert Camus » (*la Nouvelle Revue française*, 1er mars 1960).

« Albert Camus » (*Preuves*, avril 1960).

« Hommage à Albert Camus » (*Simoun*, Oran, n° 31, 1960).

« Camus à Alger » (*Simoun*, Oran, n° 32, 1960).

« Albert Camus, configuration critique » (*Revue des lettres modernes*, automne 1961).

III. INDICATIONS PROPRES A *LA PESTE*

● A. TEXTES D'ALBERT CAMUS :

« Les Exilés dans la Peste », dans *Domaine français* (Genève, Édition des Trois Collines, 1943); repris dans *la Nef*, septembre 1944.

« Archives de *la Peste* », dans *Cahiers de la Pléiade* (Gallimard, avril 1947) : 1. « Exhortation aux médecins de la Peste »; 2. « Discours de la Peste à ses administrés ».

L'Etat de siège (Paris, Gallimard, 1948).

« Lettre au directeur des *Temps modernes* », 30 juin 1952 (en réponse à l'article de Francis Jeanson, « Albert Camus ou l'Ame révoltée », paru en mai 1952). La « Lettre » de Camus a été publiée dans le numéro d'août 1952 de cette revue (en même temps que « Réponse à Albert Camus », de J.-P. Sartre, et « Pour tout vous dire », de Francis Jeanson). Elle est reprise dans *Actuelles II*, sous le titre « Révolte et servitude ».

« Lettre à Roland Barthes sur *la Peste* » (*Club*, février 1955).

● B. Études :

    I. Parues en 1947 :

Bertrand d'ASTORG : « De *la Peste* ou D'un nouvel humanisme » (*Esprit*, nº 10); repris dans *Aspects de la littérature européenne depuis 1945* (Éditions du Seuil, 1952).

Georges BATAILLE, « la Morale du malheur : *la Peste* » (*Critique*, nºs 13-14).

R. P. BRUCKBERGER, « *la Peste* » (*le Cheval de Troie*, nº 2).

Michel CARROUGES, « Philosophie de *la Peste* » (*Vie intellectuelle*, juillet).

ÉTIEMBLE, « Peste ou péché » (*les Temps modernes*, nº 26).

Thierry MAULNIER, « *la Peste* » (*Hommes et mondes*, nº 14).

Aimé PATRI, « *la Peste* » (*Paru*, nº 33).

Gaëtan PICON, « Remarques sur *la Peste* » (*Fontaine*, nº 61).

Jean POUILLON, « l'Optimisme de Camus » (*les Temps modernes*, nº 26).

J.-J. RINIERI, « *la Peste*, par Albert Camus » (*la Nef*, août).

Claude ROY, « *la Peste* » (*Europe*, nº 22).

Roger STÉPHANE, « *la Peste*, par Albert Camus » (*Revue internationale*, nº 16).

Marcel THIÉBAUT, « *la Peste*, d'Albert Camus » (*Revue de Paris*, août).

    II. Plus tard :

CRITICUS, « Albert Camus », dans *le Style au microscope*, t. II (Calmann-Lévy, 1951).

Marcel LAVILLE, « Homothétie » (*Journal des professeurs*, nº 19, 23 juin 1951).

Roland BARTHES, « *la Peste*, annales d'une épidémie ou roman de la solitude » (*Club*, février 1955).

Roger QUILLIOT, « Genèse de *la Peste* » (*Preuves*, nº 142, décembre 1962).

LA PESTE

1947

NOTICE

Ce qui se passait en 1947. — EN POLITIQUE INTÉRIEURE. —
*Les institutions de la IVᵉ République (Constitution du 13 octobre 1946)
sont mises en place sous le ministère socialiste homogène présidé par
Léon Blum. Le 16 janvier, M. Vincent Auriol, socialiste, est élu
président de la République. Le 22 janvier, Paul Ramadier, socialiste,
forme un gouvernement comprenant des socialistes, des M. R. P., des
radicaux-socialistes et des communistes. Mais des problèmes écono-
miques (revendications concernant les salaires) et politiques (guerre
d'Indochine) suscitent des désaccords au sein du cabinet. Ramadier
met fin aux fonctions des ministres communistes le 4 mai.*

*Le 14 avril, le général de Gaulle, qui a quitté le pouvoir au début
de l'année précédente, annonce la fondation du* Rassemblement du
peuple français. *Ce mouvement obtiendra 38 p. 100 des suffrages
aux élections municipales d'octobre et réclamera la dissolution de
l'Assemblée.*

*La crise sociale se traduit par des grèves et des manifestations
exploitées par les éléments syndicalistes favorables au communisme
dans la Confédération générale du travail, dont la tendance socia-
lisante « Force ouvrière » se séparera le 19 décembre, pour former
une nouvelle Centrale. Le gouvernement « triparti » est obligé de
mener la lutte contre deux oppositions qui, toutes deux, mettent en
cause le régime : le R. P. F. et le Parti communiste. Il ne dispose
au Parlement que d'une majorité précaire et démissionne le 19 novembre.
Après avoir écarté Léon Blum de la présidence du Conseil, l'Assemblée nationale investit M. Robert Schuman le 22 novembre.*

EN POLITIQUE INTERNATIONALE. — *L'année 1947 voit s'aggraver
l'opposition Est-Ouest. Tandis que l'U. R. S. S. poursuit une politique d'intégration des Etats voisins, les Etats-Unis décident d'aider
les peuples libres à conserver leurs libertés (« doctrine Truman »,
12 mars). Le 5 juin, à Harvard, le général Marshall, nouveau
secrétaire d'Etat, invite les pays d'Europe à s'unir pour organiser
leur économie, cette union étant la condition d'un concours actif
des Etats-Unis. Une Conférence s'ouvre à Paris le 27 juin entre
la France, la Grande-Bretagne et l'U. R. S. S. pour étudier les
perspectives offertes par le « plan Marshall ». Mais l'U. R. S. S.
dénonce dans ces propositions une manœuvre de l'impérialisme amé-*

ricain et interdit à ses satellites d'y participer. Le *12 juillet, les pays européens non engagés aux côtés de l'U. R. S. S. se réunissent pour préparer un vaste programme de coordination qui aboutira, au printemps suivant, à la création de l'Organisation européenne de coopération économique.*

En U. R. S. S., les élections générales, le *17 février, donnent une victoire totale aux listes communes du parti communiste et des « sans-parti ». Mesures d'épuration sévères en Finlande, en Hongrie (démission du Premier ministre, le 29 mai), en Pologne (15 juin), en Roumanie et en Bulgarie (25 juillet). Nicolas Petkov, chef de l'opposition bulgare, condamné à mort le 16 août, est exécuté le 23 septembre. Le 5 octobre est créé à Belgrade un Bureau d'information destiné à coordonner l'activité des neuf partis communistes européens (Kominform).*

En Grèce, la lutte entre l'armée royale, *équipée par les Etats-Unis, et les troupes du général Markos, soutenues par l'Albanie et la Yougoslavie, revêt un caractère international. En juin, la guerre civile reprend en Chine, à l'avantage des communistes.*

Le démantèlement des empires coloniaux français, hollandais et anglais commence. — La guerre d'Indochine, *qui s'est ouverte le 19 décembre 1946, se poursuit avec acharnement en dépit des offres de trêve présentées par la France. Le 30 mars débute à Madagascar une insurrection qui durera toute l'année et fera des milliers de morts. — Le 20 juillet, les Pays-Bas lancent des opérations militaires en Indonésie. Le gouvernement indonésien fait appel à l'O. N. U., qui, le 4 août, oblige les Néerlandais à cesser le feu. — Le 15 août, lord Mountbatten, dernier vice-roi des Indes, signe l'Acte d'indépendance qui crée l'Union indienne et le Pakistan. Des guerres de religion ensanglantent la péninsule. Un conflit armé se déclenche au Cachemire, au début de novembre, entre les deux Etats. — En Palestine, après une recrudescence d'attentats, le gouvernement britannique annonce son intention de résigner son mandat. L'Assemblée générale de l'O. N. U. refuse (28 avril), puis accepte (29 novembre) un plan de partage qui prévoit la création d'un Etat arabe et d'un Etat juif. Cependant l'agitation persiste.*

DANS LES LETTRES, LES ARTS ET LES SCIENCES. — Théâtre. Janvier : Marguerite Jamois monte Electra ou Le deuil sied à Électre *d'Eugène O'Neill, au théâtre Montparnasse-Gaston Baty.* Février : la Course des rois *de Thierry Maulnier, au théâtre du Vieux-Colombier.* Avril : *reprise de* Maison de poupée *d'Ibsen, au théâtre Gramont, avec Ludmilla Pitoëff.* — Mai : *Jouvet présente à l'Athénée l'*Apollon de Marsac *de Giraudoux et les* Bonnes *de Jean Genet ; H. de Montherlant publie le* Maître de Santiago. — Juin : *Dullin quitte le théâtre Sarah-Bernhardt.* — Septembre : *représentation de la* Jeanne d'Arc *de Péguy, au théâtre Hébertot.* — Octobre : *J.-L. Barrault donne au théâtre Marigny une version scénique du* Procès *de Kafka,* *adapté par André Gide.* — Novembre : *création de* l'Invitation au château *de Jean Anouilh, au théâtre de l'Atelier. Mort de Tristan Bernard.* — Décembre : *reprise de* Morts sans sépulture *et de la* P... respectueuse *de J.-P. Sartre, au théâtre des Mathurins.*

A la devanture des libraires. — Romans : *Fin des* Hommes de bonne volonté, *de Jules Romains (27 volumes).* — Souvenirs : *David Rousset,* les Jours de notre mort; *Jean Guéhenno,* Journal des années noires; *Colette,* Trois... six... neuf. — Essais : *Malraux publie le premier volume de* Psychologie de l'art; *J.-P. Sartre, un* Baudelaire *et* Situations I; *Simone de Beauvoir,* Pour une morale de l'ambiguïté; *J. Prévert,* Paroles; *Pierre Emmanuel,* les Chansons du dé à coudre; *René Char,* le Poème pulvérisé; *Patrice de La Tour du Pin,* Somme de poésie; *André Breton,* Arcane 17; *Léopold Sedar Senghor,* Chants d'ombre.

Vie littéraire. — Février : *mort de J.-R. Bloch.* — Mars : *Claudel et Marcel Pagnol sont reçus à l'Académie française.* — Mai : *mort de Ramuz.* — Juin : *réception d'E. Herriot à l'Académie française; le grand prix de littérature est décerné à Mario Meunier et le grand prix du roman à Philippe Hériat; Albert Camus reçoit le prix des Critiques pour* la Peste. — Juillet : *exposition internationale du surréalisme organisée par André Breton à la galerie Maeght.* — Octobre : *H. Mondor succède à P. Valéry à l'Académie française.* — Novembre : *André Gide prix Nobel de littérature; mort de Léon-Paul Fargue.* — Décembre : *J.-L. Curtis prix Goncourt.*

Arts plastiques — Février : *exposition Van Gogh à l'Orangerie.* — Mars : *expositions Rouault à la galerie des Garets et Gromaire à la galerie Carré.* — Mai : *ouverture du musée de l'Impressionnisme au Jeu de Paume des Tuileries; expositions Maillol à la galerie Charpentier, Braque à la galerie Maeght.* — Juin : *ouverture du musée national d'Art moderne (Picasso offre dix de ses toiles); mort d'Albert Marquet.* — Juillet : *exposition internationale de l'habitation et de l'urbanisme au Grand Palais.* — Août : *salon des réalités nouvelles.* — Septembre : *exposition des chefs-d'œuvre de l'Amérique précolombienne au musée de l'Homme.* — Octobre : *ouverture de la Grande Galerie du Louvre; exposition Chagall au musée d'Art moderne.*

Musique. — Janvier : *mort de Reynaldo Hahn.* — Mai : *représentations triomphales de* Don Juan *et de* Cosi fan tutte, *au théâtre des Champs-Elysées avec l'Opéra de Vienne.* — Juin : *festival Jean-Sébastien Bach à Strasbourg.* — Octobre : *festival de rentrée de Darius Milhaud au théâtre des Champs-Elysées.*

Cinéma. — *Marcel Pagliero met en scène un scénario de J.-P. Sartre :* Les jeux sont faits; *René Clair donne* Le silence est d'or; *J. Tati :* Jour de fête; *M. Carné :* les Portes de la nuit;

Claude Autant-Lara : le Diable au corps; *P. Rouquier :* Farrebique; *Charlie Chaplin :* Monsieur Verdoux; *Orson Welles :* la Dame de Shanghai.

Sciences et techniques. — Mars : *mort de Pierre Janet, promoteur de la psychologie expérimentale.* — Juillet : *explorations sous-marines à l'aide du bathyscaphe mis au point par MM. Piccard et Cosyns ; mort d'Almroth Wright, biologiste, un des fondateurs de l'immunologie.* — Septembre : *la première pile atomique construite en temps de paix aux Etats-Unis est mise en fonctionnement à Brookhaven ; un grand hebdomadaire anglais de chirurgie,* Lancet, *annonce que la streptomycine serait efficace contre la peste bubonique.* — Octobre : *mort de Max Planck, créateur de la théorie des quanta.*

Origines de « la Peste ». — Dans la conception de *la Peste*, qui remonte à 1938, un essai d'Antonin Artaud, intitulé « le Théâtre et la peste », a pu jouer un certain rôle[1]. Ce manifeste d'inspiration surréaliste a pour amorce une comparaison singulière entre le fléau, qui, dans la cité atteinte, fait voler en éclats les cadres moraux et déclenche une frénésie de jouissance, et la représentation scénique, qui, ruinant les apparences de respectabilité dont s'entoure la société, libère les forces instinctives d'ordinaire refoulées par les règles de la vie en commun : « L'action du théâtre comme celle de la peste est bienfaisante, car en poussant les hommes à se voir tels qu'ils sont, elle fait tomber le masque, elle découvre le mensonge, la veulerie, la bassesse, la tartuferie; elle secoue l'inertie asphyxiante de la matière qui gagne jusqu'aux données les plus claires des sens; et révélant à des collectivités leur puissance sombre, leur force cachée, elle les incite à prendre en face du destin une attitude héroïque et supérieure qu'elles n'auraient jamais eue sans cela. »

L'animateur du *Théâtre de l'Équipe* portait un intérêt très vif aux écrits d'Antonin Artaud[2]. Mais ce qui le frappa sans doute dans celui-ci, ce fut moins la thèse que l'illustration. Peu enclin à saluer paradoxalement dans l'épidémie une occasion d'émancipation, il fut fasciné par les visions brûlantes du doctrinaire et, plus encore, par l'exceptionnelle aptitude de ce thème à se prêter au symbole : « Si l'on veut bien admettre maintenant », écrit Artaud, « cette image spirituelle de la peste, on considérera les humeurs troublées du pesteux comme la face solidifiée et matérielle

---

1. *Antonin Artaud* (1895-1948), poète, acteur, auteur dramatique et théoricien du théâtre, plusieurs fois interné dans des établissements psychiatriques, a laissé des œuvres étranges et excitantes. « Le Théâtre et la peste », qui a paru d'abord dans la *N. R. F.* (1er octobre 1934), a été repris dans un recueil intitulé *le Théâtre et son double* (Gallimard, 1938); 2. Les recherches d'Artaud sont mentionnées brièvement dans l' « Avertissement » de *l'Etat de siège* (1948).

d'un désordre qui, sur d'autres plans, équivaut aux conflits, aux luttes, aux cataclysmes et aux débâcles que nous apportent les événements. »

***

La peste joue dès lors dans la mythologie de Camus un rôle sans égal. Inexplicable, inéluctable, inexorable, elle apparaît, au titre de la calamité la plus représentative, comme le démenti le plus catégorique que le destin oppose à nos rêves de bonheur. Qu'elle rôde, proche ou lointaine, devrait nous garder de la présomption ingénue qui se flatte de reconnaître dans la création ou dans l'histoire l'œuvre d'une volonté empressée à nos fins. Destruction, mais instruction, ces deux effets séduisent Caligula, qui la choisit d'emblée pour modèle quand il veut rivaliser avec les dieux : « Ni peste universelle ni religion cruelle, pas même un coup d'État », lance-t-il aux patriciens épouvantés, « bref, rien qui puisse vous faire passer à la postérité. C'est un peu pour cela, voyez-vous, que j'essaie de compenser la prudence du destin. Je veux dire [...], c'est moi qui remplace la peste[1] ». Et c'est parce que le fléau exerce en vertu de ce double caractère une action véritablement « apocalyptique », qu'Albert Camus forme, bien avant la guerre, le projet de peindre sous l'aspect d'une cité confrontée à la peste la condition humaine confrontée à la mort.

Lorsque, sous l'influence de Kierkegaard, de Jaspers et de Heidegger, il élargit son expérience de l'échec[2] en philosophie de l'absurde, la référence à la peste ne sert plus seulement pour lui à évoquer notre vulnérabilité devant l'hostilité des choses; elle marque aussi notre désarroi devant leur inintelligibilité. Toutefois, là encore, le fléau garde son pouvoir didactique, car, dans la mesure où nous découvrons l'écart qui nous sépare du monde, nous découvrons un lien qui nous rattache à l'humanité : « Le premier progrès d'un esprit saisi d'étrangeté, note la « Remarque sur la révolte[3] », est donc de reconnaître qu'il partage cette étrangeté avec tous les hommes et que la réalité humaine dans sa totalité souffre de cette distance par rapport à soi et au monde. Le mal qui éprouvait un seul homme devient peste collective. » *La Peste* montrera la portée de cette initiation.

Mal métaphysique qui affecte notre existence, mal spirituel qui affecte notre intelligence, la peste est surtout un mal moral qui affecte notre conscience. C'est là son avatar de prédilection, le plus pernicieux, mais le plus révélateur. A travers les entraînements

---

1. Version de 1938 : acte IV, scène VI; version de 1958 : acte IV, scène IX; **2.** Voir plus haut dans les résumés biographiques les difficultés que rencontre Camus à cette époque; **3.** « Remarque sur la révolte », publiée en 1945 avec divers essais d'autres auteurs, dans *l'Existence* (collection *la Métaphysique*, Gallimard), et reprise dans le premier chapitre de *l'Homme révolté* (1951).

de la violence et les tentations de la lâcheté, il fournit des occasions décisives de juger les âmes. *La Peste* illustrera la qualité de celles qui se vouent à lutter contre cette horrible contagion.

***

Personnellement engagé dans ces divers types de combat, Albert Camus a manifesté très tôt la volonté de ne pas « jouer battu ». Dès 1938, il s'insurge contre l'attitude qui tendrait à contester nos chances ou à compromettre nos droits. Rendant compte de *la Nausée* dans *Alger Républicain*, il tient à marquer combien il se sent éloigné du pessimisme de J.-P. Sartre[1]. Quelques mois plus tard, analysant *le Mur*, du même auteur, il affirme que, si l'existence n'a pas de justification, il nous appartient précisément de lui imposer nos propres valeurs. « Constater l'absurdité de la vie ne peut être une fin, mais seulement un commencement[2]. » Cette conviction est renforcée par la lecture, en 1941, du livre d'Herman Melville, *Moby Dick*[3], dans lequel il admire la narration d'une lutte exemplaire contre le destin : « L'histoire du capitaine Ahab, lancé de la mer australe au septentrion à la poursuite de Moby Dick, la baleine blanche qui lui a coupé la jambe, peut sans doute se lire comme la passion funeste d'un personnage fou de douleur et de solitude. Mais elle peut aussi se méditer comme l'un des mythes les plus bouleversants qu'on ait jamais imaginés sur le combat de l'homme contre le mal et sur l'irrésistible logique qui finit par dresser l'homme juste contre la création et le créateur d'abord, puis contre ses semblables et contre lui-même[4]. » L'expérience de la Résistance démontre, pour Albert Camus, qu'une victoire contre les forces les plus monstrueuses est souvent réservée à qui refuse de désespérer; au reste, dans la mesure où le succès ne peut pas être définitif, l'honneur réside dans la volonté de le poursuivre sans faiblesse comme sans illusion. Cette valeur de l'effort sera la leçon essentielle de *la Peste*.

Composition et publication. — Chez Antonin Artaud, Albert Camus avait trouvé mention des grandes « plaies » que, dans la Bible, le Seigneur envoie aux méchants pour les punir; il avait découvert aussi, à propos de l'épidémie qui ravagea Marseille et la Provence de 1720 à 1722, une anecdote qui mettait en évidence le caractère mystérieux et sacré du fléau[5]. Tout en dépouillant systématiquement l'Écriture, Camus s'informa avec soin de la nature de l'infection, des symptômes par lesquels elle se mani-

---

1. Article du 20 octobre 1938; **2.** Article du 12 mars 1939; **3.** Herman Melville (1819-1891) publie *Moby Dick* en 1851; **4.** « Herman Melville », présentation publiée dans *les Ecrivains célèbres* (t. III), recueil collectif édité par Lucien Mazerod (1953); **5.** Alerté par un rêve prémonitoire, le vice-roi de Sardaigne interdit l'escale de Cagliari au bateau qui, venant de Syrie, devait contaminer Marseille.

feste, de la thérapeutique qui lui est applicable, et recueillit à cette fin une abondante documentation. Thucydide et Lucrèce lui offraient les tableaux pathétiques de la peste d'Athènes. Le *Grand Dictionnaire universel* Larousse lui fournit, outre des renseignements généraux, des références littéraires et iconographiques concernant, entre autres, les *Histoires* de Procope, *la Légende dorée*, le *Journal de l'année de la peste* de Daniel Defoe et les œuvres inspirées par la peste à Raphaël, Poussin, Gérard, Gros ou Gérome. Ses notes portent mention d'ouvrages historiques et scientifiques comme ceux de Papon : *De la peste ou Epoques mémorables de ce fléau et les moyens de s'en préserver* (1799); Bulard de Méru : *De la peste orientale* (1839); Clot-Bey : *De la peste observée en Egypte* (1840); Berbrugger : *Mémoire sur la peste en Algérie* (1847); Tholozan : *Une épidémie de peste en Mésopotamie en 1867* (1874); Netter : *la Peste et son microbe* (1900); Soulié : *la Peste bubonique en Algérie* (1905). Il a consulté le manuel de *Pathologie médicale*, tome Ier, « Maladies infectieuses », de Bezançon-Philibert (Masson, 1926). Cependant, selon son témoignage, ses rencontres les plus fructueuses sont celles d'Adrien Proust (père de Marcel Proust) : *la Défense de l'Europe contre la peste et la conférence de Venise en 1897* (Masson, 1897), et Bourgès : *la Peste* (Masson, 1899). Ces deux dernières études se réfèrent, à l'occasion de la peste de Marseille, au *Traité de la peste et des moyens de s'en préserver*, de Manget (1721), et présentent des extraits de la chronique de Mathieu Marais : *Journal et Mémoires sur la Régence et le règne de Louis XV*, publiée en 1863. Camus utilise ces textes à travers Proust; il puise aussi chez Michelet : *la Régence* (1863), ainsi que chez Gaffarel et Duranty : *la Peste de 1720 à Marseille et en France d'après des documents inédits* (Perrin, 1911). Ses carnets signalent enfin deux essais parents de Charles Nicolle : *Naissance, vie et mort des maladies infectieuses* (Alcan, 1930), et *Destin des maladies infectieuses* (P. U. F., 1939), qui confirmèrent ses intentions de mettre en lumière la signification morale de la lutte contre le fléau. Pour l'hygiéniste, comme pour le romancier, la solidarité humaine peut intervenir efficacement « contre la tourbe dantesque, mais inintelligente » des agents de la mort.

D'autres œuvres, de caractère romanesque ou dramatique, ont contribué à exciter l'imagination de Camus. Il s'est intéressé à Boccace, dont Artaud rappelle que le *Décaméron* est sorti de la peste de 1348 à Florence. Il cite Berni, dont deux *Capitoli* satiriques, sous couleur de chanter les mérites de la peste, dénoncent la lâcheté humaine. De Kleist, il connaît *Robert Guiscard, duc des Normands*, pièce inachevée dans laquelle la puissance d'un chef barbare est contrecarrée par la puissance du fléau. Adaptateur de Pouchkine[1], il a lu *le Festin pendant la peste*, qui évoque la

---

1. Dont le Théâtre du Travail a joué le *don Juan* en 1937.

catastrophe survenue à Londres en 1665. Parmi les réminiscences qui assaillent le docteur Rieux, il comprend l'épisode de la peste à Milan conté par Manzoni dans *les Fiancés*. En revanche, d'autres récits, qu'il mentionne dans ses notes, comme ceux d'Henry de Monfreid ou de Jack London, ne semblent pas lui avoir laissé d'impressions vivaces.

L'hypothèse, avancée par divers critiques, d'un emprunt important à un livre d'un auteur italien, Maria-Raoul De Angelis, paru en juillet 1943, *la Peste a Urana*[1], ne trouve pas de justification. En dépit de certaines ressemblances (par exemple, les conditions du déclenchement de l'épidémie et le rôle des rats), les deux récits ont des orientations très différentes. Au reste, la première version de *la Peste* était achevée en janvier 1943. Cette même année, les « Éditions des Trois Collines », à Genève, publiaient dans *Domaine français* un extrait du manuscrit qui ne présente que des variantes minuscules avec le texte définitif; cet épisode, qui a pour titre « les Exilés dans la peste », se situe dans une ville désignée par l'initiale transparente d'O...[2]. Il illustre les thèmes fondamentaux du roman.

*
* *

Pourquoi Albert Camus, ayant imaginé de raconter une peste, a-t-il situé l'action à Oran? Il est naturel qu'une maladie contagieuse dont plusieurs foyers se trouvent en Moyen-Orient se manifeste dans un port africain : une centaine de cas furent signalés en 1945 dans diverses localités du littoral algérien[3]; mais ce fait apporte seulement à ce qui était une intention première une justification *a posteriori*. Né dans le Constantinois, ayant passé sa jeunesse à Alger, Camus découvre la grande cité de l'Ouest au cours des séjours qu'il y fait pendant la guerre en 1939-1940, puis en 1941, et la juge sans aménité; il lui reproche d'être privée d'arbres; homme des plages et des vastes horizons, il se plaît à affirmer qu'elle a prémédité de tourner le dos à la mer pour mieux se consacrer à ses affaires, qu'on ne peut manquer d'y être dévoré d'ennui, et que c'est un désert de morne désespoir, si on vient à y tomber malade[4]! Mais un tel manque d'attrait a, pour l'écrivain, un intérêt paradoxal. Ce paysage minéral où s'agitent des êtres inconsistants, réduits aux automatismes élémentaires par des préoccupations insignifiantes, fournit un décor d'un dépouillement suggestif

---

1. Cf. notamment Lucienne Jean-Darouy : « Contagion de la peste » (*Gazette des lettres*, 25 janvier 1949), et André Lebois : « Peste à Urana et peste à Oran » (*Revue de littérature comparée*, oct.-déc. 1952); 2. Fragment paru à nouveau dans *la Nef* en septembre 1944; 3. Ces circonstances auraient fourni un point de départ au film d'Elia Kazan *Panic in the streets* (1951); 4. Cf. *Carnets*, pp. 188 et 221, *le Minotaure ou la Halte d'Oran* (1939) et *Petit Guide pour des villes sans passé* (1947). Par la suite, toutefois, cette sévérité s'est quelque peu relâchée : cf. la note précédant la reprise du *Minotaure* dans *l'Eté* (1953).

à une aventure symbolique du type de celles que Kafka aime à installer, comme la *Colonie pénitentiaire, le Procès* ou *le Château*, dans des architectures urbaines, qui prêtent à l'abstraction[1]. A lui seul, ce cadre stérile est une variété de peste. La démonstration que toute société humaine recèle assez de générosité pour répondre aux défis du fléau sera d'autant plus saisissante qu'elle interviendra dans une ambiance à l'origine plus dérisoire.

⋆⋆⋆

La composition de *la Peste* se poursuivit pendant huit années. D'autres tâches d'abord retinrent l'attention de Camus : *Caligula* devait être achevé au cours de cette année 1938, *l'Etranger* en mai 1940, *le Mythe de Sisyphe* en février 1941. Ce ne fut guère qu'à partir de cette dernière date qu'il put travailler activement à *la Peste*, lors d'un séjour à Oran, puis à Lyon. En janvier 1943 était achevé un manuscrit qui allait être remanié et enrichi, mais qui, dès ce moment, conduisait le récit jusqu'à son terme. Par la suite, la participation de Camus à la Résistance, puis son installation à Paris avec des responsabilités accrues dans le mouvement clandestin retardèrent la mise au point de l'ouvrage. A la Libération, ses obligations à *Combat* ne lui laissèrent guère de répit, et ce fut seulement à la faveur d'un congé qui, en 1946, l'éloigna du journal qu'il put arriver au terme de ses efforts.

Les données initiales se trouvèrent sensiblement modifiées au cours de cette longue genèse. Les premières esquisses ont pour personnage principal un professeur de lettres au lycée d'O..., Philippe Stéphan, lecteur désabusé de Thucydide, qui s'aperçoit de la pauvreté de ses gloses sur la peste d'Athènes le jour où il fait directement l'expérience du fléau. Le suicide du héros apporte une réplique désespérée à l'intervention sarcastique du destin.

Le déclenchement du conflit mondial, la « drôle de guerre », la défaite, tout en élargissant le drame vécu par Stéphan, accentuent l'humour grinçant qui naît du contraste entre la cruauté du mal et l'inconséquence des victimes. Dans un canevas daté d'avril 1941, un philosophe écrit une « anthologie des actions insignifiantes[2] » et tient, sous cet angle, le journal de la peste. Un autre journal est rédigé par Stéphan, sous l'angle pathétique. Un jeune curé perd la foi devant le pus noir qui s'échappe des plaies. Une agence de renseignements fait de bonnes affaires en diffusant les nouvelles du sinistre. Ainsi, les thèmes de l'ironie et de la générosité s'entrecroisent; au ton badin répond le ton lyrique,

---

1. Cf. l'article publié par *l'Arbalète* (nᵒ 7, été 1943) et recueilli en annexe au *Mythe de Sisyphe* : « L'Espoir et l'absurde dans l'œuvre de Franz Kafka »;
2. Cf., de Camus lui-même, « De l'insignifiance » (*Cahiers des saisons*, nᵒ 15, hiver 1959).

selon la manière de Melville que rappellent des fragments comme le « Discours de la Peste à ses administrés », ébauche d'une page brillante de *l'Etat de siège*, et l' *Exhortation aux médecins de la Peste*, qui n'a finalement pas été utilisée[1].

Les événements, toutefois, ont profondément touché Camus. Il avait vu avec horreur s'annoncer les hostilités; il découvre, une fois la bataille commencée, que la peste ne se cache pas seulement sous le chauvinisme de l'excité ou le militarisme du bravache, mais aussi sous l'égoïsme du pleutre[2]. Le pédagogue sentimental cède la première place au médecin intrépide. Un personnage nouveau, le journaliste Rambert, qui emprunte plusieurs traits physiques et quelques traits moraux au journaliste Leynaud, avec qui Camus a noué à Lyon une amitié fraternelle[3], se veut d'abord étranger à la ville endeuillée, mais rallie ensuite l'effort commun. L'œuvre, ainsi orientée, change de présentation. Par discrétion, l'auteur s'efface devant un « narrateur » qui, de son côté, s'abstient de dire « je » et révèle seulement à la fin du récit qu'il est le personnage principal[4]. Ce système cryptographique ne vise pas à piquer la curiosité; il répond au souci délicat de réduire la part des éléments personnels dans un témoignage dont le mérite essentiel reste cependant d'être direct. C'est ce qu'Albert Camus est amené à préciser — tout en continuant à observer le même scrupule — à un de ses détracteurs[5] qui prétend que les événements de *la Peste* sont vus par une « subjectivité hors situation » qui « ne les vit pas elle-même et se borne à les contempler » : « N'importe quel lecteur, même distrait, de *la Peste*, à la seule condition qu'il veuille bien lire le livre jusqu'au bout, sait pourtant que le narrateur est le docteur Rieux, héros du livre et qui est plutôt payé pour connaître ce dont il parle. Sous la forme d'une chronique objective écrite à la troisième personne, *la*

---

1. Ces textes ont été publiés dans les « Archives de la Peste » (*Cahiers de la Pléiade*, avril 1947); **2.** Exempté d'obligations militaires pour raisons de santé, Camus tenta en vain de s'engager. Voir sur son désespoir devant la guerre les pp. 170-171, et sur sa volonté de participer au combat les pp. 172-173 des *Carnets*; **3.** Chef départemental du Service de renseignements du mouvement *Combat*, René Leynaud, né en 1914, fut arrêté par les Allemands et exécuté le 13 juin 1944. Un article de *Combat* (27 octobre 1944), recueilli dans *Actuelles*, lui est consacré. Les *Lettres à un ami allemand* (1945) lui sont dédiées. Camus a préfacé ses *Poésies posthumes* (1947); **4.** Selon Pierre Herbart, l'idée de s'inspirer d'un procédé utilisé par Dostoïevsky dans *les Possédés* naquit chez Camus au cours d'une de leurs conversations (« Pas de temps à perdre », *N. R. F.*, 1er mars 1960). Voici le début du roman : « Ayant entrepris de décrire les événements si étranges qui survinrent récemment dans notre ville (où rien de remarquable ne s'était passé jusqu'à ce jour... etc. »). [Traduction Chuzeville, Gallimard, 1948.] Dans l'adaptation scénique des *Possédés*, un acteur est chargé à la fois de son rôle propre et de celui de « narrateur ». Au reste, dans ses récits, avant *la Peste* comme après *la Peste*, c'est une des techniques favorites de Camus que de confier la parole au principal personnage. Cf. *l'Etranger* et *la Chute*; **5.** Francis Jeanson : « Albert Camus ou l'âme révoltée », dans *les Temps modernes* (mai 1952).

Peste est une confession et tout y est calculé pour que cette confession soit d'autant plus entière que le récit en est plus indirect. Naturellement on peut appeler dégagement cette pudeur, mais ce serait supposer alors que l'obscénité est la seule preuve de l'amour[1]. »

Dans un dernier temps, surtout à partir de la Libération, Camus est hanté par le problème des rapports entre la justice et la liberté[2]. Stéphan disparaît avec ses débats intimes, ou plutôt sa personnalité « éclate » pour se répartir en divers personnages : Grand, Tarrou, Rieux, et même Cottard. Tarrou, plus spécialement chargé d'exprimer à ce sujet les idées de l'auteur, prend un relief accru : au cours d'un entretien capital avec Rieux, il condamne les entreprises hasardeuses de la justice contre les droits imprescriptibles de la liberté. Un second débat, au fond assez voisin du précédent, oppose en la personne de Rieux et celle de Paneloux la médecine et la religion, les forces strictement humaines et celles qui se réclament d'une origine supérieure. Aux yeux de Camus, dans l'un et l'autre affrontement, la suprématie doit rester, contre le futur et contre l'hypothèse, au présent et à la certitude, contre l'arbitraire et contre la mort, à la mesure et à la vie. Le traitement de ce thème polémique risquait de rendre à l'expression un tour passionné. Camus lutta pour garder à son style une objectivité qui respectât l'anonymat du « narrateur », l'allure de la chronique, la tonalité des événements. Mais ses difficultés furent si grandes qu'en 1946 il faillit renoncer.

Le livre parut le 6 juin 1947 et connut aussitôt un succès éclatant. Le prix des Critiques, qui était alors attribué pour la troisième fois[3], lui fut décerné le 13 juin et l'empêcha de concourir à l'automne pour le Goncourt. Mais, tiré à cent mille exemplaires avant la fin de l'année et rapidement traduit en plusieurs langues, il brûla en six mois, selon un commentateur, le chemin que l'*Espoir* d'André Malraux avait mis dix ans à accomplir[4]. Aujourd'hui, *la Peste* est un des ouvrages modernes qui, dans le monde entier, trouvent le plus de lecteurs[5].

---

1. Lettre au directeur des *Temps modernes*, datée du 30 juin 1952, publiée dans *les Temps modernes* d'août 1952, et reprise dans *Actuelles II* sous le titre « Révolte et servitude »; 2. Cf. la série d'articles « Ni victimes ni bourreaux », publiés dans *Combat* du 19 au 30 novembre 1946, repris dans *Caliban* (nᵒ 11, décembre 1947) et recueillis dans *Actuelles*; 3. Le « Journal de bord » (anonyme, mais dû à Pierre Berger) de l'*Almanach des Lettres* 1948 raconte que, lorsque Jean Paulhan avança devant le jury le nom d'Albert Camus, Émile Henriot objecta : « Il est trop célèbre. Pourquoi pas Gide ou Claudel ? — Eh bien, répondit Paulhan, cela fera connaître le prix. » Cette anecdote est reprise par Thomas Lenoir dans « l'Homme de la semaine : Albert Camus » (*Demain*, 8 juin 1956); 4. Maurice Nadeau : « l'Année littéraire » (*Almanach des lettres*, 1949). Dans *Métamorphoses de la littérature*, tome II (Alsatia, 1951 et 1952), P. Néraud de Boisdeffre reprend une comparaison analogue, mais choisit comme référence *la Condition humaine*, parue en 1933; 5. En France seulement, près d'un million d'exemplaires ont été vendus de juin 1947 à la fin de 1962.

« La Peste », roman, chronique ou parabole ? — *La Peste*
ressortit par plusieurs traits au genre romanesque. Le récit comporte
en son centre un élément d'un intense pouvoir dramatique : le
conflit à rebondissements qui met en cause des milliers de vies.
Du printemps à l'hiver, l'action obéit à une progression savamment
calculée. Une première partie, qui comprend soixante-cinq pages
dans l'édition princeps, est consacrée à l'installation de la peste,
depuis l'apparition des rats, le 16 avril, jusqu'à la fermeture des
portes, un mois plus tard. Une seconde partie, qui comprend
cent quatre pages, montre les premières perturbations apportées
par la maladie et s'étend de l'investissement de la ville à la décision
que Rambert prend, vers le milieu d'août, de coopérer avec les
équipes sanitaires en attendant son départ. Une troisième partie,
au zénith de la narration, évoque en vingt pages la situation
durant le gros de l'été. Une quatrième partie, qui comprend
quatre-vingt-deux pages, décrit, dans un mouvement analogue
à celui de la deuxième, l'abattement qui règne dans Oran entre
le début de septembre et la fin de l'année ; elle est ponctuée par la
résurrection miraculeuse de Grand qui marque le « commencement de la fin ». Une cinquième partie, qui comprend quarante-
cinq pages, relate, sur un rythme qui rappelle celui de la première,
les alternatives d'espoir et de crainte qui occupent le dernier mois.
Cette composition, à la fois symétrique et dynamique, appartient
plus au dramaturge qu'à l'historien. Sous l'éclairage de la crise,
les personnages révèlent une complexité qui s'alimente sans doute
à leur situation présente, mais plus encore à leur passé, et cette
densité de vie nous attache à leur destin. Par le sujet, la structure,
les sentiments, *la Peste* touche, comme un roman, notre sensibilité
et notre imagination.

⁎⁎*⁎*

Ce nom de roman, Camus ne le lui a pas laissé longtemps.
Dès 1948, il qualifie *la Peste* de « chronique » et c'est sous cette
désignation qu'elle figure, jusqu'en 1950, dans la liste officielle de
ses œuvres complètes[1]. A l'intérieur de l'ouvrage, c'est ce terme
seul qui est employé dès l'origine, parce que l'auteur a voulu donner à son livre l'aspect d'une relation fidèle d'événements authentiques[2]. C'est ce que montre le choix d'un lieu réel, Oran, et d'une

---

1. A partir de cette date, le mot « chronique » entre dans le sous-titre
d'*Actuelles*, « chroniques 1944-1948 », d'*Actuelles II* (1953), « chroniques
1948-1953 », et dans le sur-titre d'*Actuelles III* (1958) : *Chroniques algériennes
1939-1958*. *La Peste* est alors classée dans la rubrique « Récits » ou « Récits,
nouvelles » ; **2.** Voir le parti pris de Roland Barthes, dans « *la Peste*, annales d'une
épidémie ou roman de la solitude » (*Club*, février 1955), tiré de la définition
du mot « chronique » donnée par Littré : « 1⁰ Annales selon l'ordre des temps,
par opposition à l'histoire, où les faits sont étudiés dans leurs causes et dans
leurs suites ; 2⁰ Ce qui se débite de petites histoires courantes. »

date récente qui ne comporte qu'une marge restreinte d'approximation : 194... Le récit lui-même est présenté comme fondé sur des documents historiques : témoignages, confidences, écrits publics et privés. Le style tend à garder le ton du compte rendu.

Sans doute, telle qu'elle nous est contée, cette prodigieuse aventure n'a jamais existé. Mais l'appellation de chronique se trouve justifiée si nous opérons, comme nous y invite la citation de Daniel Defoe placée en tête de l'ouvrage[1], la transposition de « quelque chose qui n'existe pas » à « quelque chose qui existe réellement », et si nous savons découvrir dans le fléau imaginaire le fléau concret dont les lecteurs de 1947 venaient de faire l'atroce expérience : la peste, c'est avant tout, la peste brune ; Oran infectée, c'est la France occupée. Cette « correspondance » donne leur plein sens à des notations qui seraient inadéquates si elles ne se rapportaient qu'à une épidémie. Les restrictions, les queues devant les boutiques approvisionnées de produits « ersatz », le « marché noir », les tracasseries administratives, les interdits de toute espèce, le couvre-feu, la ségrégation, les camps d'internement, les exécutions, les fours crématoires, tout ce lugubre cortège évoque irrésistiblement les souvenirs des années noires ; l'action contre le microbe figure l'action contre l'envahisseur. Albert Camus est le premier à souligner l'intérêt de cette interprétation : « *La Peste*, dont j'ai voulu qu'elle se lise sur plusieurs portées, a cependant comme contenu évident la lutte de la Résistance eüropéenne contre le nazisme. La preuve en est que cet ennemi, qui n'est pas nommé, tout le monde l'a reconnu, et dans tous les pays d'Europe. [...] *La Peste*, dans un sens, est plus qu'une chronique de la Résistance. Mais, assurément, elle n'est pas moins[2]. »

⁎

A travers la fiction romanesque, la réalité historique impose sa présence dans *la Peste*. Mais puisque l'ouvrage doit se lire « sur plusieurs portées », ce serait étriquer sa signification que de la réduire à une condamnation du régime hitlérien. Les maléfices de la peste, illustrés de manière éclatante par les crimes du dictateur, ne sont l'apanage ni d'une personne ni d'une nation. Si certains vecteurs sont plus dangereux que d'autres, il reste que tout corps social recèle un virus qui devient pathogène dès que s'anémient la dignité et la liberté. C'est que le mal procède d'une vulnérabilité consubstantielle aux individus, antérieure à leur

---

1. Dans l' « Avertissement » de *l'Etat de siège* (1948), Albert Camus raconte comment J.-L. Barrault avait eu, en 1941, l'idée de s'inspirer de l'ouvrage de Daniel Defoe pour monter un spectacle autour du mythe de la peste et comment ce projet donna naissance à leur collaboration ; **2.** « Lettre à Roland Barthes sur *la Peste* », publiée dans *Club*, février 1955, à la suite de l'article précité.

mobilisation sous les ordres d'un chef ou leur mise en condition dans le cadre d'un état. Après 1945, l'adversaire que dénonce inlassablement l'éditorialiste de *Combat*, c'est celui qui sécrète les toxines de la violence et de la haine depuis les profondeurs de notre for intérieur où il vit abrité.

L'imagerie éthique de *la Peste* est donc ambivalente : les murailles closes matérialisent à la fois les contraintes qui nous confinent en état de claustration et les obstacles que nous élevons devant nos semblables par goût de l'exclusive; la fièvre, les taches, les bubons sont à la fois les symptômes de notre fragilité et les stigmates de notre culpabilité. Un même symbolisme nous apprend simultanément à détester les vices d'autrui et à détecter les nôtres. On comprend que la lutte exemplaire de Rieux ne puisse avoir de fin. « Qu'est-ce que cela veut dire, la peste? », confie au docteur Rieux le plus avisé de ses malades, « c'est la vie, et voilà tout. »

Roman d'une épidémie, chronique de la Résistance, *la Peste* est aussi la parabole de notre destinée.

L'appel à l'action. — « J'ai toujours pensé, écrit Camus en 1946, que si l'homme qui espérait dans la condition humaine était un fou, celui qui désespérait des événements était un lâche[1]. » Nous serions excusables d'êtres fous, inexcusables d'être lâches.

Le moins que nous devions faire, c'est, comme le recommande Tarrou, opposer à la propagation du fléau une hygiène stricte : entretenir une pensée modeste, c'est-à-dire débarrassée de la prétention à l'infaillibilité; nous interdire en toute occasion l'égoïsme, l'injustice, les atteintes à la dignité; refuser de légitimer l'esclavage, la misère, le meurtre. La résolution de Rieux va plus loin. Pour lui, la lutte contre la peste ne peut pas être menée seulement avec de la prudence et de la patience. Pour être efficace, elle réclame une volonté d'offensive qui, le cas échéant, sache risquer pour une chance de guérison une intervention douloureuse et peut-être mortelle. Une différence sépare donc les deux amis, mais, si elle est sensible dans le domaine des principes, elle l'est peu dans celui de l'action : dès que la menace se précise, celui qui n'a pas le pouvoir de pratiquer lui-même la médecine se fait l'auxiliaire du médecin. Côte à côte, ils partagent désormais les fatigues et les joies du combat.

La première évidence qu'apporte la catastrophe, c'est qu'elle nous concerne tous. Rambert, qui la nie à l'origine, ne tarde pas à s'en apercevoir. Comme nous ne sommes pas seuls à souffrir, nous ne sommes pas seuls à agir. Sauf Cottard, tous les personnages de *la Peste* prennent courageusement leur part de danger, même Paneloux qui dispense aux autres les soins dont il ne veut pas pour lui. Rieux a le don de susciter des adhésions

---

1. « Vers le dialogue », dernier article de la série *Ni victimes ni bourreaux*.

spontanées[1] et Tarrou celui de provoquer des ralliements inat-
tendus[2]. Cette coopération fraternelle est, aux yeux de Camus, le
thème essentiel de l'ouvrage. « Comparée à *l'Etranger* », écrit-il
dans la *Lettre à Roland Barthes*, « *la Peste* marque sans discussion
possible le passage d'une attitude de révolte solitaire à la reconnaissance d'une communauté dont il faut partager les luttes. S'il
y a évolution de *l'Etranger* à *la Peste*, elle s'est faite dans le sens
de la solidarité et de la participation. »

Cependant, même dans cet engagement, les volontaires de la
lutte contre la peste restent libres. La volonté expresse de Rieux,
comme son « style » naturel, écarte tout risque de despotisme. Une
discipline catégorique, exclusive, absolue serait un remède aussi
pernicieux que le mal. Pour Camus, toute action entreprise dans
l'intérêt de l'homme trouve sa fin et sa limite dans le respect de
l'homme.

Albert Camus s'est-il donné des facilités en faisant du mal
une maladie et de ses principaux héros un médecin et un infirmier ?
Pour qui a choisi de soigner ses semblables, il est aisé de n'être
« ni victime ni bourreau », tandis que le juge et le soldat, pour ne
pas parler du politique, peuvent avoir à condamner ou à tuer.
Certains commentateurs de *la Peste* prétendent que Rieux et ses
équipiers seraient incapables de lutter les armes à la main contre
un fléau qui ne viendrait pas des rats, mais des hommes, et ils
se demandent avec quelque ironie quelle est la portée d'une « morale
de Croix-Rouge[3] ». Albert Camus a relevé cette critique avec
vivacité dans sa réponse à Roland Barthes : « La question que vous
posez... : « Que feraient les combattants de *la Peste* devant le visage
« trop humain du fléau ? » est injuste en ce sens qu'elle doit être
écrite au passé et qu'alors elle a déjà reçu sa réponse, qui est posi-
tive. Ce que ces combattants, dont j'ai traduit un peu de l'expérience, ont fait, ils l'ont fait justement contre des hommes, et à un
prix que vous connaissez. Ils le referont sans doute, devant toute
terreur et quel que soit son visage, car la terreur en a plusieurs,
ce qui justifie encore que je n'en aie nommé précisément aucun pour
pouvoir mieux les frapper tous. » Il convient de donner
acte à l'auteur de *la Peste* de cette déclaration : dans le cadre de
l'affabulation qu'il a choisie, la lutte contre l'épidémie symbolise
toutes les formes de lutte contre toutes les formes d'oppression.

---

1. Celles de Grand et de Tarrou; 2. Ceux du père Paneloux et du juge
Othon. Le cas de Rambert est plus complexe et les deux amis ont également
part à sa conversion; 3. Dans un article de juillet 1947 (*la Vie intellectuelle*),
Michel Carrouges parle d' « une pure action de bienfaisance ». L'allusion à
la Croix-Rouge se rencontre chez Bertrand d'Astorg (article d'*Esprit*, n° 10,
1947, repris dans *Aspects de la littérature européenne depuis 1945*, Éditions du
Seuil, 1952). Francis Jeanson s'approprie cette expression dans sa diatribe
des *Temps modernes*. Sur le fond, Roland Barthes exprime des idées voisines
dans l'article de *Club*.

La leçon humaniste. — Vers l'époque où il achève *la Peste*, Camus pense précisément que la dévolution de la personne à la collectivité ou aux forces qui parlent en son nom est un danger sérieux, qui va s'accélérant. Dans *Combat*, la série *Ni victimes ni bourreaux* s'ouvre sur de véritables cris d'alarme : « Nous vivons dans la terreur parce que la persuasion n'est plus possible, parce que l'homme a été livré tout entier à l'histoire et qu'il ne peut plus se tourner vers cette part de lui-même, aussi vraie que la part historique, et qu'il retrouve devant la beauté du monde et des visages ; parce que nous vivons dans le monde de l'abstraction, celui des bureaux et des machines, des idées absolues et du messianisme sans nuances[1]. » L'article du 30 novembre 1946 éclaire singulièrement l'argument de *la Peste* : « Oui, ce qu'il faut combattre aujourd'hui, c'est la peur et le silence, et avec eux la séparation des esprits et des âmes qu'ils entraînent. Ce qu'il faut défendre, c'est le dialogue et la communion universelle des hommes entre eux. La servitude, l'injustice, le mensonge sont les fléaux qui brisent cette communication et interdisent le dialogue. C'est pourquoi nous devons les refuser. Mais ces fléaux sont aujourd'hui la matière même de l'histoire et, partant, beaucoup d'hommes les considèrent comme des maux nécessaires. Il est vrai, aussi bien, que nous ne pouvons pas échapper à l'histoire, puisque nous y sommes plongés jusqu'au cou. Mais on peut prétendre à lutter dans l'histoire pour préserver cette part de l'homme qui ne lui appartient pas[2]. »

Tandis que, dans l'euphorie de la victoire alliée, certains thuriféraires justifient la tyrannie stalinienne en invoquant ses réussites historiques ou la contribution qu'elle doit apporter à l'avènement d'une société sans classes, Camus estime que le succès d'une politique — pas plus d'ailleurs que son échec — ne peut fonder une appréciation de valeur sur ses mérites intrinsèques, et que l'attente du futur ne légitime pas l'attentat contre le présent[3]. Que les champions du réalisme se flattent de « faire l'histoire » sans égard pour la morale, Tarrou leur abandonne cette redoutable prétention[4].

Vouloir assujettir l'homme à une domination non plus terrestre mais céleste est, pour Camus, une tentative aussi peu légitime. C'est, à ses yeux, la faute du père Paneloux. Dans un sermon prononcé à un moment où il n'a pas l'expérience directe de la maladie, le jésuite déclare que la peste est envoyée aux Oranais

---

1. « Le Siècle de la peur », 19 novembre 1946 ; 2. « Vers le dialogue » ; 3. Cf., dans *l'Homme révolté*, les chapitres intitulés « le Terrorisme d'État et la terreur rationnelle » et « Révolte et révolution » ; 4. Cf. p. 112. Ces propos sont repris par Camus dans un passage du *Discours de Suède*, du 10 décembre 1957, qui évoque le rôle de l'écrivain : « Par définition, il ne peut se mettre aujourd'hui au service de ceux qui font l'histoire : il est au service de ceux qui la subissent. »

pour les punir de leurs péchés, que le Seigneur se sert du mal pour conduire au bien, et que les fidèles sont invités par ce signe à faire pénitence et à prier. Par la suite, ayant assisté, impuissant et déchiré, à l'agonie d'un enfant, il renonce à penser que le martyre d'un innocent est un bienfait providentiel; il montre, dans un second sermon, que les desseins de Dieu sont impénétrables et que le croyant doit se soumettre à ce qu'il ne peut comprendre. D'un épisode à l'autre, les prémisses diffèrent, puisque le tragique de la condition humaine est successivement nié, puis proclamé, mais les conclusions restent identiques : le chretien doit s'en remettre à l'autorité d'en haut du soin de régler son sort. Les démonstrations de Paneloux aboutissent à ôter aux victimes de la peste des motifs et des moyens d'action. Il mourra dechiré, suscitant chez Rieux la compassion, non la compréhension.

Tarrou, si indifférent qu'il veuille être à l'égard de la religion, propose à son action une fin qui dépasse ses objectifs humains. Il aspire à une sérénité spirituelle dégagée des attaches terrestres et qu'il appelle la « paix » : « Peut-on être un saint sans Dieu, dit-il à son ami, c'est le seul problème concret que je connaisse aujourd'hui. » Rieux, au contraire, se défie des élans aveugles vers des idéaux plus ou moins arbitraires. Il ne se consacre pas à sa tâche par grandeur d'âme, mais par honnêteté. « Rien que la terre » pourrait être sa devise. Il répond doucement à son interlocuteur : « Je n'ai pas de goût pour l'héroïsme et la sainteté. Ce qui m'intéresse, c'est d'être un homme. » Et Tarrou reconnaît que c'est plus difficile...

« Être un homme », c'est avant tout chercher à servir l'humanité. La servir, non la sauver, ce qui serait chimérique ou dangereux, car les tyrans les plus meurtriers sont les tyrans métaphysiciens : « Le salut de l'homme, dit Rieux à Paneloux, c'est un trop grand mot pour moi. Je ne vais pas si loin. C'est sa santé qui m'intéresse, sa santé d'abord. » Rieux s'entend aussi bien à soigner les douleurs morales que les douleurs physiques. Il provoque, sans indiscrétion, les confidences libératrices; il restaure, sans prédication, la confiance en soi. Quiconque l'approche — et sa prédilection va aux plus humbles — est revigoré par sa générosité. Le paradoxe de sa situation est qu'il vit dans le renoncement et le risque tout en étant convaincu qu'aucune idée ne vaut qu'on lui sacrifie le bonheur. A plusieurs reprises, il exprime cette certitude devant Rambert déconcerté. Finalement, c'est son exemple, éclairé par les confidences de Tarrou, qui persuadera le journaliste qu'une joie égoïste est une joie imparfaite et le déterminera à rester. « Il n'y a pas de honte, dit Rieux, à préférer le bonheur. — Oui, répond Rambert, mais il peut y avoir de la honte à être heureux tout seul. »

Au lendemain de la tourmente, Rieux s'assigne pour tâche de « dire simplement ce qu'on apprend au milieu des fléaux, qu'il y a dans les hommes plus de choses à admirer que de choses à mépriser ». Le livre tout entier démontre que, si les hommes peuvent être « admirés », c'est dans la mesure où ils établissent entre eux, sans aucun recours extérieur, face à une communauté de périls, une communauté de responsabilités. Ce refus de toute transcendance et cette confiance raisonnée dans notre capacité à introduire dans le monde plus de bonheur et plus de justice caractérisent l'humanisme de *la Peste*.

« La Peste », œuvre classique. — Comme toute œuvre assurée de durer, *la Peste* nous apprend à nous mieux connaître pour nous mieux conduire. Le récit est entièrement orienté, selon l'intention même du « narrateur », vers cette fin. Les principaux personnages contribuent à cet enseignement en nous donnant l'exemple de la lucidité et de la maîtrise. Tarrou, lorsqu'il est atteint par la maladie, demande à son ami de l'informer exactement de son état; Rieux, tout en évitant de trahir son devoir de médecin, lui répond sans mentir. Les deux hommes trouveraient indigne d'eux une sympathie qui ne serait pas fondée sur la sincérité. L'authenticité est pour eux la vertu foncière de l'esprit et du cœur.

Qu'il s'agisse des premiers ou des seconds rôles, les caractères sont présentés selon la grande tradition psychologique : typiques dans leur manière d'agir, individualisés dans leur manière d'être. Ainsi s'éclairent, chez Paneloux, l'optimisme de routine que vient démentir la hantise de l'absolu, chez Cottard les jouissances de l'égoïsme et les tortures de l'angoisse, chez Grand l'aspiration au beau et la condamnation au médiocre, chez Rambert les hésitations entre les deux légitimités de l'évasion et de l'engagement, chez Tarrou les appels parfois contradictoires de la paix et de la générosité, chez Rieux la soumission douloureuse de l'instinct du bonheur aux lois de l'honnêteté.

Même discrétion suggestive en ce qui concerne les « extérieurs ». Quelques pages nous montrent dans Oran des microcosmes qui ont leur atmosphère, leur langage, leurs lois, mais ces notations ne sacrifient guère au souci de la « couleur locale ». Le plus souvent, la ville apparaît dans son entier comme un être collectif dont la respiration, la torpeur, la souffrance sont notées pour leur signification « thématique » et non pour fournir une imagerie mélodramatique. Les précisions topographiques, en insérant quelques repères authentiques dans un monde de cauchemar, fournissent un support vraisemblable à l'allégorie; cependant, rues, gare, cathédrale, hôpital, port, ces décors toujours stylisés ont un caractère plus « emblématique » que « figuratif ». Albert Camus a souvent déclaré qu'il ne croyait pas au réalisme en art[1]. *La Peste* confirme cette tendance en concentrant la lumière sur les traits généraux de la nature morale et en laissant au second plan les singularités physiques, qui ne conduisent à aucune réflexion.

---

1. Cf. la réponse précitée à Roland Barthes, p. 26.

Le sujet de l'ouvrage favorise une extrême concentration d'action, de lieu et de temps. Le fléau, élément central du drame, surgit, se développe, disparaît dans une enceinte limitée et dans l'espace de quelques mois. Nous ne sommes pas amenés à prendre une connaissance panoramique d'un ensemble disparate d'événements sous la conduite d'un guide minutieux et disert : de ce qu'il a vu ou de ce qu'on lui a dit, le « narrateur » ne retient que ce qui répond à ses desseins, et cette sensibilité élective donne aux tableaux, récits et commentaires, à la faveur d'une rare économie de moyens, une remarquable unité de fond. On peut sans doute découvrir plus de remarques ironiques au début du livre et plus de considérations philosophiques vers la fin, mais cette variation de tonalité correspond à l'évolution même du héros et au changement d'atmosphère dans la ville, à mesure que s'accuse la pression du fléau; elle introduit dans la composition un effet de progression naturel et prenant.

La qualité maîtresse de l'expression, dans *la Peste*, est la probité. Probité, à vrai dire, plus que pureté, car il arrive que le « chroniqueur » soit conduit par un scrupule excessif d'exactitude, à multiplier les précautions de langage. Mais il s'agit d'une volonté expresse de traquer l'emphase dans les passages descriptifs ou narratifs. Partout ailleurs, la pudeur de Camus donne à son style la sobriété élégante des grandes proses qui savent dire peu pour signifier beaucoup.

Observer cette mesure ne va pas pour lui sans mérite, car l'aventure qu'il nous conte tient à toute sa pensée et à toute sa chair. La haine de l'oppression, il l'éprouve depuis l'enfance; les malheurs de l'exil et les dangers du combat, il les a personnellement vécus; la passion de servir est sa propre passion. Si, selon la formule de Valéry, est classique « l'écrivain qui porte un critique de soi-même et qui l'associe intimement à ses travaux » et si « le classique implique donc des actes volontaires et réfléchis qui modifient une production « naturelle » conformément à une conception *claire* et *rationnelle* de l'homme et de l'art »[1], l'auteur de *la Peste* est un écrivain classique, vraisemblablement un des plus considérables de notre temps[2].

---

1. Paul Valéry, *Variété II*, « Situation de Baudelaire », p. 140; 2. Voir sur l'idée qu'Albert Camus se fait du classicisme le chapitre de *l'Homme révolté* intitulé « Révolte et art » : « Comme le vrai classicisme n'est qu'un romantisme dompté, le génie est une révolte qui a créé sa propre mesure. C'est pourquoi il n'y a pas de génie, contrairement à ce qu'on enseigne aujourd'hui, dans la négation et le pur désespoir. »

LA PESTE

> *Il est aussi raisonnable de représenter
> une espèce d'emprisonnement par une autre
> que de représenter n'importe quelle chose
> qui existe réellement par quelque chose qui
> n'existe pas.*
>
> Daniel de FOE[1]

I

Les curieux événements qui font le sujet de cette chronique[2] se sont produits en 194., à Oran. De l'avis général, ils n'y étaient pas à leur place, sortant un peu de l'ordinaire. A première vue, Oran est, en effet, une ville ordinaire et rien de plus qu'une préfecture française de la côte algérienne.

La cité elle-même, on doit l'avouer, est laide. D'aspect tranquille, il faut quelque temps pour apercevoir ce qui la rend différente de tant d'autres villes commerçantes, sous toutes les latitudes. Comment faire imaginer, par exemple, une ville sans pigeons, sans arbres et sans jardins, où l'on ne rencontre ni battements d'ailes ni froissements de feuilles, un lieu neutre pour tout dire? Le changement des saisons ne s'y lit que dans le ciel. Le printemps s'annonce seulement par la qualité de l'air ou par les corbeilles de fleurs que de petits vendeurs ramènent des banlieues; c'est un printemps qu'on vend sur les marchés. Pendant l'été, le soleil incendie les maisons trop sèches et couvre les murs d'une cendre grise; on ne peut plus vivre alors que dans l'ombre des volets clos. En automne, c'est, au contraire, un déluge de boue. Les beaux jours viennent seulement en hiver[3].

---

1. Daniel de Foe (ou Defoe) [1660-1731] : « Préface » du troisième volume de *Robinson Crusoé* (1721). La traduction de ce passage est empruntée à la « Préface » donnée par Marcel Schwob (1867-1905) à un autre ouvrage de Daniel Defoe : *Moll Flanders* (Ollendorff, 1895); **2.** Cf. *Notice*, p. 25; **3.** La progression du roman sera rythmée par le cours des saisons. Ce caractère répond à une intention de Camus, qui l'a notée dans ses brouillons.

Une manière commode de faire la connaissance d'une ville est de chercher comment on y travaille, comment on y aime et comment on y meurt. Dans notre petite ville, est-ce l'effet du climat, tout cela se fait ensemble, du même air frénétique et absent. C'est-à-dire qu'on s'y ennuie et qu'on s'y applique à prendre des habitudes. Nos concitoyens travaillent beaucoup, mais toujours pour s'enrichir. Ils s'intéressent surtout au commerce et ils s'occupent d'abord, selon leur expression, de faire des affaires. Naturellement, ils ont du goût aussi pour les joies simples, ils aiment les femmes, le cinéma et les bains de mer[1]. Mais, très raisonnablement, ils réservent ces plaisirs pour le samedi soir et le dimanche, essayant, les autres jours de la semaine, de gagner beaucoup d'argent. Le soir, lorsqu'ils quittent leurs bureaux, ils se réunissent à heure fixe dans les cafés, ils se promènent sur le même boulevard ou bien ils se mettent à leurs balcons. Les désirs des plus jeunes sont violents et brefs, tandis que les vices des plus âgés ne dépassent pas les associations de boulomanes, les banquets des amicales et les cercles où l'on joue gros jeu sur le hasard des cartes[2].

On dira sans doute que cela n'est pas particulier à notre ville et qu'en somme tous nos contemporains sont ainsi. Sans doute, rien n'est plus naturel, aujourd'hui, que de voir des gens travailler du matin au soir et choisir ensuite de perdre aux cartes, au café, et en bavardages, le temps qui leur reste pour vivre. Mais il est des villes et des pays où les gens ont, de temps en temps, le soupçon d'autre chose. En général, cela ne change pas leur vie. Seulement il y a eu le soupçon et c'est toujours cela de gagné. Oran, au contraire, est apparemment une ville sans soupçons, c'est-à-dire une ville tout à fait moderne. Il n'est pas nécessaire, en conséquence, de préciser la façon dont on s'aime chez nous. Les hommes et les femmes, ou bien se dévorent rapidement dans ce qu'on appelle l'acte d'amour, ou bien s'engagent dans une longue habitude à deux. Entre ces

---

1. Quelques-unes des occupations favorites du jeune Camus. Cf., dans *Noces* (1938), « l'Été à Alger »; 2. Dans *le Style au microscope*, t. II (1951), Criticus (pseudonyme de Marcel Berger) a présenté un commentaire excessivement sévère de ce début. Cf. « Homothétie », réplique de Marcel Laville ans le *Journal des professeurs*, n° 19 (23 juin 1951).

Les premières versions de *la Peste* commençaient *in medias res* par la découverte des rats et la mort du concierge Michel. La description d'Oran et les considérations sur le rôle du « narrateur » constituaient le début du deuxième chapitre. C'est un des états de ce texte, antérieur au manuscrit de 1943, que présente le fragment ci-dessus (Cf. p. 33 et p. 38) :

« Ces curieux incidents se produisirent l'année 194. dans la petite préfecture française d'Oran sur la côte algérienne. Ils étaient les premiers d'une série de graves événements dont on s'est proposé de faire ici la chronique. A vrai dire, le narrateur, qu'on reconnaîtra toujours à temps, n'aurait guère de titre à faire valoir dans une entreprise de ce genre si le hasard ne l'avait mis en possession d'un certain nombre de documents et si la force des choses ne l'avait mêlé à tout ce qu'il prétend relater. C'est à cela qu'il doit de connaître son sujet aussi bien qu'il le connaît et c'est ce qui l'autorise à faire œuvre d'historien. »

LA PLACE D'ARMES
À ORAN

Phot. Neurdein.

extrêmes, il n'y a pas souvent de milieu. Cela non plus n'est pas original. A Oran comme ailleurs, faute de temps et de réflexion, on est bien obligé de s'aimer sans le savoir.

Ce qui est plus original dans notre ville est la difficulté qu'on peut y trouver à mourir. Difficulté, d'ailleurs, n'est pas le bon mot et il serait plus juste de parler d'inconfort. Ce n'est jamais agréable d'être malade, mais il y a des villes et des pays qui vous soutiennent dans la maladie, où l'on peut, en quelque sorte, se laisser aller. Un malade a besoin de douceur, il aime à s'appuyer sur quelque chose, c'est bien naturel. Mais à Oran, les excès du climat, l'importance des affaires qu'on y traite, l'insignifiance du décor, la rapidité du crépuscule et la qualité des plaisirs, tout demande la bonne santé. Un malade s'y trouve bien seul[1]. Qu'on pense alors à celui qui va mourir, pris au piège derrière des centaines de murs crépitants de chaleur, pendant qu'à la même minute, toute une population, au téléphone ou dans les cafés, parle de traites, de connaissements et d'escompte[2]. On comprendra ce qu'il peut y avoir d'inconfortable dans la mort, même moderne, lorsqu'elle survient ainsi dans un lieu sec.

Ces quelques indications donnent peut-être une idée suffisante de notre cité. Au demeurant, on ne doit rien exagérer. Ce qu'il fallait souligner, c'est l'aspect banal de la ville et de la vie. Mais on passe ses journées sans difficultés aussitôt qu'on a des habitudes. Du moment que notre ville favorise justement les habitudes, on peut dire que tout est pour le mieux. Sous cet angle, sans doute, la vie n'est pas très passionnante. Du moins, on ne connaît pas chez nous le désordre. Et notre population franche, sympathique et active a toujours provoqué chez le voyageur une estime raisonnable. Cette cité sans pittoresque, sans végétation et sans âme finit par sembler reposante, on s'y endort enfin. Mais il est juste d'ajouter qu'elle s'est greffée sur un paysage sans égal, au milieu d'un plateau nu, entouré de collines lumineuses, devant une baie au dessin parfait[3]. On peut seulement regretter qu'elle se

---

1. Albert Camus a vécu cette expérience pendant la guerre; **2.** Activités du commerce, du courtage maritime et de la banque qu'Albert Camus a connues quand il a dû gagner sa vie pendant ses études en faculté; **3.** Sur la beauté du site d'Oran, cf. *Santa-Cruz*, de Jean Grenier (Charlot, 1937).

soit construite en tournant le dos à cette baie et que, partant, il soit impossible d'apercevoir la mer qu'il faut toujours aller chercher (**1**).

Arrivé là, on admettra sans peine que rien ne pouvait
faire espérer à nos concitoyens les incidents qui se produisirent au printemps de cette année-là et qui furent, nous
le comprîmes ensuite, comme les premiers signes de la
série des graves événements dont on s'est proposé de faire
ici la chronique. Ces faits paraîtront bien naturels à certains et, à d'autres, invraisemblables au contraire. Mais,
après tout, un chroniqueur ne peut tenir compte de ces
contradictions. Sa tâche est seulement de dire : « Ceci
est arrivé », lorsqu'il sait que ceci est, en effet, arrivé, que
ceci a intéressé la vie de tout un peuple, et qu'il y a donc
des milliers de témoins qui estimeront dans leur cœur
la vérité de ce qu'il dit (**2**).

Du reste, le narrateur, qu'on connaîtra toujours à temps,
n'aurait guère de titre à faire valoir dans une entreprise
de ce genre si le hasard ne l'avait mis à même de recueillir
un certain nombre de dépositions et si la force des choses
ne l'avait mêlé à tout ce qu'il prétend relater. C'est ce qui
l'autorise à faire œuvre d'historien. Bien entendu, un historien, même s'il est un amateur, a toujours des documents.
Le narrateur de cette histoire a donc les siens : son témoignage d'abord, celui des autres ensuite, puisque, par son
rôle, il fut amené à recueillir les confidences de tous les
personnages de cette chronique, et, en dernier lieu, les
textes qui finirent par tomber entre ses mains. Il se
propose d'y puiser quand il le jugera bon et de les utiliser
comme il lui plaira. Il se propose encore... (**3**). Mais il est
peut-être temps de laisser les commentaires et les pré-

——— QUESTIONS ———

1. Quel est l'intérêt de cette évocation d'Oran ? Relevez les
traits d'ironie. Ne risquent-ils pas de surprendre au moment où
commencera la relation des événements ?

2. Albert Camus prend grand soin de présenter son récit comme
une « chronique ». De quelles intentions procède cette déclaration ?
Quelle en est la portée en ce qui concerne la technique du récit ?

3. Pourquoi Albert Camus a-t-il jugé bon de confier la parole
à un « narrateur » et de tenir secrète l'identité de celui-ci jusqu'à
la fin ?

cautions de langage pour en venir au récit lui-même. La relation des premières journées demande quelque minutie (4).

⋆
⋆

Le matin du 16 avril, le docteur Bernard Rieux sortit de son cabinet et buta sur un rat mort, au milieu du palier[1]. Sur le moment, il écarta la bête sans y prendre garde et descendit l'escalier. Mais, arrivé dans la rue, la pensée lui vint que ce rat n'était pas à sa place et il retourna sur ses pas pour avertir le concierge. Devant la réaction du vieux M. Michel, il sentit mieux ce que sa découverte avait d'insolite. La présence de ce rat mort lui avait paru seulement bizarre tandis que, pour le concierge, elle constituait un scandale. La position de ce dernier était d'ailleurs catégorique : il n'y avait pas de rats dans la maison. Le docteur eut beau l'assurer qu'il y en avait un sur le palier du premier étage, et probablement mort, la conviction de M. Michel restait entière. Il n'y avait pas de rats dans la maison, il fallait donc qu'on eût apporté celui-ci du dehors. Bref, il s'agissait d'une farce.

Le soir même, Bernard Rieux, debout dans le couloir de l'immeuble, cherchait ses clefs avant de monter chez lui, lorsqu'il vit surgir, du fond obscur du corridor, un gros rat à la démarche incertaine et au pelage mouillé. La bête s'arrêta, sembla chercher un équilibre, prit sa course vers le docteur, s'arrêta encore, tourna sur elle-même avec un petit cri et tomba enfin en rejetant du sang par les babines entrouvertes[2]. Le docteur la contempla un moment et remonta chez lui. [...]

---

1. L'action des rats dans la propagation de la peste est attestée depuis la plus haute antiquité. Elle est évoquée à plusieurs reprises dans la Bible. Un rat figure dans le célèbre tableau de Poussin, *la Peste des Philistins* (musée du Louvre); **2.** Cf. A. Proust : *la Défense de l'Europe contre la peste et la Conférence de Venise en 1897* (p. 61) : « Avant le début de l'épidémie, l'animal sort de son trou [...]. Il vacille, tourne sur lui-même, rejette du sang et succombe. »

─────── **QUESTIONS** ───────

4. Ce préambule permet d'imaginer certains aspects de la personnalité du « narrateur ». Lesquels ?

Le lendemain 17 avril, à huit heures, le concierge arrêta le docteur au passage et accusa des mauvais plaisants d'avoir déposé trois rats morts au milieu du couloir. On avait dû les prendre avec de gros pièges, car ils étaient pleins de sang. Le concierge était resté quelque temps sur le pas de la porte, tenant les rats par les pattes, et attendant que les coupables voulussent bien se trahir par quelque sarcasme. Mais rien n'était venu.

« Ah! ceux-là, disait M. Michel, je finirai par les avoir. »

Intrigué, Rieux décida de commencer sa tournée par les quartiers extérieurs où habitaient les plus pauvres de ses clients. La collecte des ordures s'y faisait beaucoup plus tard et l'auto qui roulait le long des voies étroites et poussiéreuses de ce quartier frôlait les boîtes de détritus, laissées au bord du trottoir. Dans une rue qu'il longeait ainsi, le docteur compta une douzaine de rats jetés sur les débris de légumes et les chiffons sales [...].

Rieux n'eut pas de peine à constater ensuite que tout le quartier parlait des rats.

[Vers onze heures, le docteur accompagne à la gare sa femme, qui, malade depuis un an, doit effectuer un séjour en montagne[1].]

L'après-midi du même jour, au début de sa consultation, Rieux reçut un jeune homme dont on lui dit qu'il était journaliste et qu'il était déjà venu le matin. Il s'appelait Raymond Rambert. Court de taille, les épaules épaisses, le visage décidé, les yeux clairs et intelligents, Rambert portait des habits de coupe sportive et semblait à l'aise dans la vie. Il alla droit au but. Il enquêtait pour un grand journal de Paris sur les conditions de vie des Arabes[2] et voulait des renseignements sur leur état sanitaire. Rieux lui dit que cet état n'était pas bon. Mais il voulait savoir, avant d'aller plus loin, si le journaliste pouvait dire la vérité.

« Certes, dit l'autre.

— Je veux dire, pouvez-vous porter condamnation totale ?

— Totale, non, il faut bien le dire. Mais je suppose que cette condamnation serait sans fondement. »

---

1. Ce fut, à plusieurs reprises, le cas de Camus; **2.** C'était le sujet du reportage « Misère de la Kabylie », publié par Camus en juin 1939 dans *Alger Républicain*.

Doucement, Rieux dit qu'en effet une pareille condamnation serait sans fondement, mais qu'en posant cette question il cherchait seulement à savoir si le témoignage de Rambert pouvait ou non être sans réserves.

« Je n'admets que les témoignages sans réserves. Je ne soutiendrai donc pas le vôtre de mes renseignements.

— C'est le langage de Saint-Just[1] », dit le journaliste en souriant (**5**).

Rieux dit sans élever le ton qu'il n'en savait rien, mais que c'était le langage d'un homme lassé du monde où il vivait, ayant pourtant le goût de ses semblables et décidé à refuser, pour sa part, l'injustice et les concessions. Rambert, le cou dans les épaules, regardait le docteur.

« Je crois que je vous comprends », dit-il enfin en se levant.

Le docteur l'accompagnait vers la porte :

« Je vous remercie de prendre les choses ainsi. »

Rambert parut impatienté :

« Oui, dit-il, je comprends, pardonnez-moi ce dérangement (**6**). »

Le docteur lui serra la main et lui dit qu'il y aurait un curieux reportage à faire sur la quantité de rats morts qu'on trouvait dans la ville en ce moment.

« Ah! s'exclama Rambert, cela m'intéresse. »

A dix-sept heures, comme il sortait pour de nouvelles visites, le docteur croisa dans l'escalier un homme encore jeune, à la silhouette lourde, au visage massif et creusé, barré d'épais sourcils. Il l'avait rencontré, quelquefois, chez les danseurs espagnols qui habitaient le dernier étage de son immeuble. Jean Tarrou fumait une cigarette avec application en contemplant les dernières convulsions d'un rat qui crevait sur une marche, à ses pieds. Il leva sur le

---

1. *Saint-Just* (1767-1794), membre du Comité de salut public, réputé pour l'intransigeance de ses principes. Sur le moralisme politique, cf. dans *l'Homme révolté* le chapitre intitulé « les Régicides ».

──── **QUESTIONS** ────

5. D'après les réponses que fait Rieux à Rambert, précisez la conception que professe sur l'éthique du métier de journaliste l'ancien éditorialiste de *Combat*.

6. Quel sera sur Rambert l'effet du refus de Rieux?

docteur le regard calme et un peu appuyé de ses yeux gris, lui dit bonjour et ajouta que cette apparition des rats était une curieuse chose.

« Oui, dit Rieux, mais qui finit par être agaçante.

— Dans un sens, Docteur, dans un sens seulement. Nous n'avons jamais rien vu de semblable, voilà tout. Mais je trouve cela intéressant, oui, positivement intéressant. »

Tarrou passa la main sur ses cheveux pour les rejeter en arrière, regarda de nouveau le rat, maintenant immobile, puis sourit à Rieux :

« Mais, en somme, Docteur, c'est surtout l'affaire du concierge. »

[Les rats meurent de plus en plus nombreux. Les Oranais commencent à s'inquiéter.

Mais, le 28 avril, le docteur est appelé par un de ses anciens malades auprès d'un personnage singulier...]

Quelques minutes plus tard, il franchissait la porte d'une maison basse de la rue Faidherbe, dans un quartier extérieur[1]. Au milieu de l'escalier frais et puant, il rencontra Joseph Grand, l'employé, qui descendait à sa rencontre. C'était un homme d'une cinquantaine d'années, à la moustache jaune, long et voûté, les épaules étroites et les membres maigres.

« Cela va mieux, dit-il en arrivant vers Rieux, mais j'ai cru qu'il y passait. »

Il se mouchait. Au deuxième et dernier étage, sur la porte de gauche, Rieux lut, tracé à la craie rouge : « Entrez, je suis pendu. »

Ils entrèrent. La corde pendait de la supension au-dessus d'une chaise renversée, la table poussée dans un coin. Mais elle pendait dans le vide.

« Je l'ai décroché à temps, disait Grand, qui semblait toujours chercher ses mots, bien qu'il parlât le langage le plus simple[2]. Je sortais, justement, et j'ai entendu du

---

1. A la lisière du centre et du quartier de Montplaisant, au nord-est de la ville (voir plan, p. 105); 2. La recherche du mot juste est pour Grand un problème torturant. Faute de trouver les termes qui conviendraient exactement, il a renoncé à défendre ses droits devant l'administration qui l'emploie.

bruit. Quand j'ai vu l'inscription, comment vous expliquer, j'ai cru à une farce. Mais il a poussé un gémissement drôle, et même sinistre, on peut le dire. »

Il se grattait la tête :

« A mon avis, l'opération doit être douloureuse. Naturellement, je suis entré. »

Ils avaient poussé une porte et se trouvaient sur le seuil d'une chambre claire, mais meublée pauvrement. Un petit homme rond était couché sur le lit de cuivre. Il respirait fortement et les regardait avec des yeux congestionnés. Le docteur s'arrêta. Dans les intervalles de la respiration, il lui semblait entendre des petits cris de rats. Mais rien ne bougeait dans les coins. Rieux alla vers le lit. L'homme n'était pas tombé d'assez haut, ni trop brusquement, les vertèbres avaient tenu. Bien entendu, un peu d'asphyxie. Il faudrait avoir une radiographie. Le docteur fit une piqûre d'huile camphrée et dit que tout s'arrangerait en quelques jours.

« Merci, Docteur », dit l'homme d'une voix étouffée.

Rieux demanda à Grand s'il avait prévenu le commissariat et l'employé prit un air déconfit :

« Non, dit-il, oh! non. J'ai pensé que le plus pressé...
— Bien sûr, coupa Rieux, je le ferai donc. »

Mais, à ce moment, le malade s'agita et se dressa dans le lit en protestant qu'il allait bien et que ce n'était pas la peine.

« Calmez-vous, dit Rieux. Ce n'est pas une affaire, croyez-moi, et il faut que je fasse ma déclaration.
— Oh! » fit l'autre.

Et il se rejeta en arrière pour pleurer à petits coups. Grand, qui tripotait sa moustache depuis un moment, s'approcha de lui.

« Allons, monsieur Cottard, dit-il. Essayez de comprendre. On peut dire que le docteur est responsable. Si, par exemple, il vous prenait l'envie de recommencer... »

Mais Cottard dit, au milieu de ses larmes, qu'il ne recommencerait pas, que c'était seulement un moment d'affolement et qu'il désirait seulement qu'on lui laissât la paix. Rieux rédigeait une ordonnance.

« C'est entendu, dit-il. Laissons cela, je reviendrai dans deux ou trois jours. Mais ne faites pas de bêtises. »

Sur le palier, il dit à Grand qu'il était obligé de faire sa déclaration, mais qu'il demanderait au commissaire de ne faire son enquête que deux jours après.

« Il faut le surveiller cette nuit. A-t-il de la famille ?
— Je ne la connais pas. Mais je peux veiller moi-même. »
Il hochait la tête.

« Lui non plus, remarquez-le, je ne peux pas dire que je le connaisse. Mais il faut bien s'entr'aider. »

Dans les couloirs de la maison, Rieux regarda machinalement vers les recoins et demanda à Grand si les rats avaient totalement disparu de son quartier. L'employé n'en savait rien. On lui avait parlé en effet de cette histoire, mais il ne prêtait pas beaucoup d'attention aux bruits du quartier.

« J'ai d'autres soucis », dit-il. [...]

**
*

[Quelques jours plus tard, le docteur assiste à l'enquête sur la tentative de suicide.]

Quand il arriva, le commissaire n'était pas encore là. Grand attendait sur le palier et ils décidèrent d'entrer d'abord chez lui en laissant la porte ouverte. L'employé de mairie habitait deux pièces, meublées très sommairement. On remarquait seulement un rayon de bois blanc garni de deux ou trois dictionnaires, et un tableau noir sur lequel on pouvait lire encore, à demi effacés, les mots « allées fleuries[1] ». Selon Grand, Cottard avait passé une bonne nuit. Mais il s'était réveillé, le matin, souffrant de la tête et incapable d'aucune réaction. Grand paraissait fatigué et nerveux, se promenant de long en large, ouvrant et refermant sur la table un gros dossier rempli de feuilles manuscrites. [...]

Mais, accompagné de son secrétaire, le commissaire arrivait qui voulait d'abord entendre les déclarations de Grand. Le docteur remarqua que Grand, parlant de Cottard, l'appelait toujours « le désespéré ». Il employa même à un moment l'expression « résolution fatale ». Ils discutèrent sur le motif du suicide et Grand se montra tatillon sur le choix des termes. On s'arrêta enfin sur les

---

1. Rieux apprendra plus tard que ces mots constituent l'élément central de la phrase par laquelle s'ouvre le chef-d'œuvre auquel Grand consacre ses loisirs.

mots « chagrins intimes ». Le commissaire demanda si rien dans l'attitude de Cottard ne laissait prévoir ce qu'il appelait « sa détermination ».

« Il a frappé hier à ma porte, dit Grand, pour me demander des allumettes. Je lui ai donné ma boîte. Il s'est excusé en me disant qu'entre voisins... Puis il m'a assuré qu'il me rendrait ma boîte. Je lui ai dit de la garder. »

Le commissaire demanda à l'employé si Cottard ne lui avait pas paru bizarre.

« Ce qui m'a paru bizarre, c'est qu'il avait l'air de vouloir engager conversation. Mais moi, j'étais en train de travailler. »

Grand se tourna vers Rieux et ajouta, d'un air embarrassé :

« Un travail personnel (**7**). »

Le commissaire voulait voir cependant le malade. Mais Rieux pensait qu'il valait mieux préparer d'abord Cottard à cette visite. Quand il entra dans la chambre, ce dernier, vêtu seulement d'une flanelle grisâtre, était dressé dans son lit et tourné vers la porte avec une expression d'anxiété.

« C'est la police, hein?

— Oui, dit Rieux, et ne vous agitez pas. Deux ou trois formalités et vous aurez la paix. »

Mais Cottard répondit que cela ne servait à rien et qu'il n'aimait pas la police. Rieux marqua de l'impatience.

« Je ne l'adore pas non plus. Il s'agit de répondre vite et correctement à leurs questions, pour en finir une bonne fois. »

Cottard se tut et le docteur retourna vers la porte. Mais le petit homme l'appelait déjà et lui prit les mains quand il fut près du lit :

« On ne peut pas toucher à un malade, à un homme qui s'est pendu, n'est-ce pas, Docteur? »

Rieux le considéra un moment et l'assura enfin qu'il n'avait jamais été question de rien de ce genre et qu'aussi bien il était là pour protéger son malade. Celui-ci parut se détendre et Rieux fit entrer le commissaire (**8**).

—————— QUESTIONS ——————

7. Qu'avons-nous appris sur Grand et sur Cottard? Qu'est-ce qui les rapproche? Qu'est-ce qui les oppose?

8. Pourquoi le docteur témoigne-t-il tant de bienveillance à Cottard?

On lut à Cottard le témoignage de Grand et on lui demanda s'il pouvait préciser les motifs de son acte. Il répondit seulement et sans regarder le commissaire que « chagrins intimes, c'était très bien[1] ». Le commissaire le pressa de dire s'il avait envie de recommencer. Cottard, s'animant, répondit que non et qu'il désirait seulement qu'on lui laissât la paix.

« Je vous ferai remarquer, dit le commissaire sur un ton irrité, que, pour le moment, c'est vous qui troublez celle des autres. »

Mais sur un signe de Rieux, on en resta là (**9**).

[Le 30 avril, ganglions distendus, taches noirâtres sur les flancs, le concierge est emporté par une fièvre foudroyante. Bientôt les cas analogues se multiplient.

Rieux voit alors ses appréhensions confirmées par son vieux confrère Castel : ce mal mystérieux, c'est la peste !

Tandis que le soir tombe, le docteur, resté seul, médite sur ce diagnostic.]

**

Le mot de « peste » venait d'être prononcé pour la première fois. A ce point du récit qui laisse Bernard Rieux derrière sa fenêtre, on permettra au narrateur de justifier l'incertitude et la surprise du docteur, puisque, avec des nuances, sa réaction fut celle de la plupart de nos concitoyens[2]. Les fléaux, en effet, sont une chose commune, mais on croit difficilement aux fléaux lorsqu'ils vous tombent sur la tête. Il y a eu dans le monde autant de pestes que de guerres. Et pourtant pestes et guerres trouvent les gens toujours aussi dépourvus. Le docteur Rieux était dépourvu, comme l'étaient nos concitoyens, et c'est ainsi qu'il faut comprendre ses hésitations. C'est ainsi qu'il

---

1. Sur la valeur de tels clichés, voir dans *le Mythe de Sisyphe* le chapitre intitulé « l'Absurde et le suicide »; **2.** Cette scène ne figure pas dans le manuscrit de 1943.

—————— **QUESTIONS** ——————

9. Comment interprétez-vous l'attitude de Rieux devant le commissaire ?

faut comprendre aussi qu'il fût partagé entre l'inquiétude et la confiance. Quand une guerre éclate, les gens disent : « Ça ne durera pas, c'est trop bête. » Et sans doute une guerre est certainement trop bête, mais cela ne l'empêche pas de durer. La bêtise insiste toujours, on s'en apercevrait si l'on ne pensait pas toujours à soi. Nos concitoyens à cet égard étaient comme tout le monde, ils pensaient à eux-mêmes, autrement dit ils étaient humanistes : ils ne croyaient pas aux fléaux[1]. Le fléau n'est pas à la mesure de l'homme, on se dit donc que le fléau est irréel, c'est un mauvais rêve qui va passer. Mais il ne passe pas toujours et, de mauvais rêve en mauvais rêve, ce sont les hommes qui passent, et les humanistes, en premier lieu, parce qu'ils n'ont pas pris leurs précautions. Nos concitoyens n'étaient pas plus coupables que d'autres, ils oubliaient d'être modestes, voilà tout, et ils pensaient que tout était encore possible pour eux, ce qui supposait que les fléaux étaient impossibles. Ils continuaient de faire des affaires, ils préparaient des voyages et ils avaient des opinions. Comment auraient-ils pensé à la peste qui supprime l'avenir, les déplacements et les discussions ? Ils se croyaient libres et personne ne sera jamais libre tant qu'il y aura des fléaux (10).

Même lorsque le docteur Rieux eut reconnu devant son ami qu'une poignée de malades dispersés venaient, sans avertissement, de mourir de la peste, le danger demeurait irréel pour lui. Simplement, quand on est médecin, on s'est fait une idée de la douleur et on a un peu plus d'imagination[2]. En regardant par la fenêtre sa ville qui n'avait pas changé, c'est à peine si le docteur sentait naître en lui ce léger écœurement devant l'avenir qu'on appelle

---

1. Cf. la Préface donnée par A. Camus au livre de J. Grenier, *les Iles* : « Je lui dois un doute qui n'en finira pas et qui m'a empêché, par exemple, d'être un humaniste au sens où on l'entend aujourd'hui, je veux dire un homme aveuglé par de courtes certitudes » (1959); **2.** Camus, à qui la maladie a conféré quelque expérience sur ce point, a souvent déclaré que la plupart des hommes ne se représentent pas facilement la mort des autres. Cf. *le Mythe de Sisyphe*, p. 30 : « C'est un succédané, une vue de l'esprit et nous n'en sommes jamais très convaincus. »

QUESTIONS

---

10. Précisez le sens, l'intérêt et la portée de ce persiflage.

inquiétude. Il essayait de rassembler dans son esprit ce qu'il savait de cette maladie. Des chiffres flottaient dans sa mémoire et il se disait que la trentaine de grandes pestes que l'histoire a connues avait fait près de cent millions de morts. Mais qu'est-ce que cent millions de morts? Quand on a fait la guerre, c'est à peine si on sait déjà ce que c'est qu'un mort. Et puisqu'un homme mort n'a de poids que si on l'a vu mort, cent millions de cadavres semés à travers l'histoire ne sont qu'une fumée dans l'imagination. Le docteur se souvenait de la peste de Constantinople[1] qui, selon Procope[2], avait fait dix mille victimes en un jour. Dix mille morts font cinq fois le public d'un grand cinéma. Voilà ce qu'il faudrait faire. On rassemble les gens à la sortie de cinq cinémas, on les conduit sur une place de la ville et on les fait mourir en tas pour y voir un peu clair. Au moins, on pourrait mettre alors des visages connus sur cet entassement anonyme. Mais, naturellement, c'est impossible à réaliser, et puis, qui connaît dix mille visages? D'ailleurs, des gens comme Procope ne savaient pas compter, la chose est connue. A Canton, il y avait soixante-dix ans, quarante mille rats étaient morts de la peste avant que le fléau s'intéressât aux habitants[3]. Mais en 1871, on n'avait pas le moyen de compter les rats. On faisait son calcul approximativement, en gros, avec des chances évidentes d'erreur. Pourtant, si un rat a trente centimètres de long, quarante mille rats mis bout à bout feraient...

Mais le docteur s'impatientait. Il se laissait aller et il ne le fallait pas. Quelques cas ne font pas une épidémie et il suffit de prendre des précautions. Il fallait s'en tenir à ce qu'on savait, la stupeur et la prostration[4], les yeux rouges, la bouche sale, les maux de tête, les bubons, la soif terrible, le délire, les taches sur le corps, l'écartèlement intérieur, et au bout de tout cela... Au bout de tout cela,

---

1. En 542, sous Justinien (483-580), empereur d'Orient de 527 à 565. Partie du delta du Nil, la peste ravagea la Perse et tout le littoral méditerranéen; **2.** *Procope* de Césarée, historien du VIᵉ siècle, auteur de l'*Histoire des guerres de Justinien*. Au livre II de *la Guerre contre les Perses*, il indique que la peste de 542 fit à Constantinople de 5 000 à 10 000 victimes non pas « en un jour », mais « par jour »; **3.** Cf. A Proust : *la Défense de l'Europe...* (p. 5). [Il s'agit de la peste de 1894. Mais la date de 1871 éveille en nous certains doutes...] **4.** *Prostration* : état de profond abattement. Ces symptômes, ainsi que les suivants, sont mentionnés par tous les auteurs. Mais la description que fait le docteur Rieux semble inspirée surtout de celle que donne Antonin Artaud dans « le Théâtre et la peste » (*le Théâtre et son double*, p. 20).

une phrase revenait au docteur Rieux, une phrase qui terminait justement dans son manuel l'énumération des symptômes : « Le pouls devient filiforme et la mort survient à l'occasion d'un mouvement insignifiant[1]. » Oui, au bout de tout cela, on était pendu à un fil et les trois quarts des gens, c'était le chiffre exact, étaient assez impatients pour faire ce mouvement imperceptible qui les précipitait.

Le docteur regardait toujours par la fenêtre (**11**). D'un côté de la vitre, le ciel frais du printemps, et de l'autre côté le mot qui résonnait encore dans la pièce : la peste. Le mot ne contenait pas seulement ce que la science voulait bien y mettre, mais une longue suite d'images extraordinaires qui ne s'accordaient pas avec cette ville jaune et grise, modérément animée à cette heure, bourdonnante plutôt que bruyante, heureuse en somme, s'il est possible qu'on puisse être à la fois heureux et morne. Et une tranquillité si pacifique et si indifférente niait presque sans effort les vieilles images du fléau, Athènes empestée et désertée par les oiseaux[2], les villes chinoises remplies d'agonisants silencieux, les bagnards de Marseille empilant dans des trous les corps dégoulinants[3], la construction en Provence du grand mur qui devait arrêter le vent furieux de la peste[4], Jaffa et ses hideux mendiants[5], les

---

1. Bezançon-Philibert : *Pathologie médicale*, t. Ier, « Maladies infectieuses » (Masson, 1926; p. 141); 2. Une épidémie qu'on peut assimiler à une peste désola Athènes de 430 à 427 av. J.-C. Thucydide relate cet épisode au livre II de la *Guerre du Péloponèse*, chap. XLVII à LIV. Il signale la disparition des oiseaux au chapitre L. Le même fait est mentionné par Lucrèce (cf. p. 50); 3. La peste de 1720-1722 fit disparaître 40 000 habitants sur les 90 000 que comptait Marseille. Les équipes de forçats enlevant les corps liquéfiés par le soleil sont évoquées par Gaffarel-Duranty : *la Peste de 1720 à Marseille et en France* (pp. 180-213). Voir également Chateaubriand : *Mémoires d'outre-tombe*, 4e partie, livre Ier, 15; 4. Cf. Gaffarel-Duranty, p. 589. En 1720, pour enrayer la propagation de l'épidémie, une barrière sanitaire composée d'un fossé dans la plaine, et d'un mur de pierres sèches dans la montagne, fut établie de Sisteron au confluent du Rhône et de la Durance; 5. Lors de l'épidémie qui sévit en Égypte et en Syrie en 1799. Le baron Gros (1771-1835) a représenté, dans un tableau de 1804 qui se trouve au musée du Louvre, *les Pestiférés de Jaffa*, Bonaparte réconfortant les malades. S'il faut en croire Chateaubriand (*ibid.*, 3e partie, Première Époque, livre Ier, 16), il est douteux que le général se soit beaucoup attardé auprès des miséreux...

QUESTIONS

---

11. Étudiez dans cette prise de vue la profondeur du « champ » et l'étagement des « plans » offerts à Rieux, puis au spectateur.

lits humides et pourris collés à la terre battue de l'hôpital de Constantinople[1], les malades tirés avec des crochets[2], le carnaval des médecins masqués[3] pendant la Peste noire[4], les accouplements des vivants dans les cimetières de Milan[5], les charrettes de morts dans Londres épouvanté[6], et les nuits et les jours remplis partout et toujours du cri interminable des hommes. Non, tout cela n'était pas encore assez fort pour tuer la paix de cette journée. De l'autre côté de la vitre, le timbre d'un tramway invisible résonnait tout d'un coup et réfutait en une seconde la cruauté et la douleur. Seule la mer, au bout du damier terne des maisons, témoignait ce qu'il y a d'inquiétant et de jamais reposé dans le monde. Et le docteur Rieux, qui regardait le golfe, pensait à ces bûchers dont parle Lucrèce[7] et que les Athéniens frappés par la maladie élevaient devant la mer. On y portait des morts durant la nuit, mais la place manquait et les vivants se battaient à coup de torches pour y placer ceux qui leur avaient été chers, soutenant des luttes sanglantes plutôt que d'abandonner leurs cadavres.

---

1. Au témoignage de Bulard de Méru : *De la peste orientale* (Avant-Propos); **2.** Pendant la peste de Marseille. Cf. Proust (p. 56) et Gaffarel-Duranty (p. 184); **3.** Au Moyen Age, les médecins portaient pendant les épidémies des survêtements en peau ou en toile huilée et des masques à long bec contenant des drogues prophylactiques. Cf. l' « Exhortation aux médecins de la Peste », dans les « Archives de la Peste » (*Cahiers de la Pléiade*, avril 1947). Un costume analogue était encore utilisé en 1720. Cf. Manget : *Traité de la peste* (1721). Proust parle de l' « habit carnavalesque » des médecins. Antonin Artaud évoque également ces « étranges personnages vêtus de cire, avec des nez longs d'une aune ». Voir les gravures en couleurs reproduites par Clot-Bey : *De la peste…* **4.** La plus pernicieuse de toute l'histoire. Venue de Chine, elle ravagea l'Asie et l'Europe, entre 1343 et 1353. En Europe, elle tua vingt-cinq millions d'hommes, soit le quart environ de la population; **5.** La peste s'abattit sur Milan en 1575 et en 1630. La seconde épidémie ramena le nombre des habitants de 250 000 à 60 000. Dans *les Fiancés* (1827), le poète italien Manzoni (1785-1873) évoque la frénésie de jouissance qui s'empara de la ville infectée. Les « saturnales milanaises au bord de la tombe » sont mentionnées par A. Proust, p. 284; **6.** En 1665. Daniel Defoe, dans le *Journal de l'année de la peste*, raconte plusieurs anecdotes macabres sur la « charrette des morts », dans laquelle on entassait les cadavres et parfois les agonisants; **7.** Lucrèce (98-55 av. J.-C.) décrit la peste d'Athènes à la fin du *De natura rerum* (livre VI, v. 1138 à 1286). Le passage auquel songe Rieux dit précisément : « Et l'on en vit qui, sur des bûchers dressés pour d'autres, plaçaient à grands cris les corps de leurs proches et en approchaient la torche enflammée, soutenant des luttes sanglantes plutôt que d'abandonner leurs cadavres. » (Traduction Ernout, 1937.) Le récit de Lucrèce, qui s'inspire de très près du texte de Thucydide (livre II, chap. LII), en diffère toutefois en ce que, chez l'historien grec, les parents des disparus s'enfuient après avoir déposé les corps, tandis que, chez le poète latin, ils n'hésitent pas à risquer la mort pour assurer aux leurs des funérailles rituelles. C'est cette dernière image que retient Camus, tandis qu'A. Artaud utilise la précédente.

On pouvait imaginer les bûchers rougeoyants devant l'eau tranquille et sombre[1], les combats de torches dans la nuit crépitante d'étincelles et d'épaisses vapeurs empoisonnées montant vers le ciel attentif[2]. On pouvait craindre[3] **(12)** ...

Mais ce vertige ne tenait pas devant la raison. Il est vrai que le mot de « peste » avait été prononcé, il est vrai qu'à la minute même le fléau secouait et jetait à terre une ou deux victimes. Mais quoi, cela pouvait s'arrêter. Ce qu'il fallait faire, c'était reconnaître clairement ce qui devait être reconnu, chasser enfin les ombres inutiles et prendre les mesures qui convenaient. Ensuite, la peste s'arrêterait parce que la peste ne s'imaginait pas ou s'imaginait faussement. Si elle s'arrêtait, et c'était le plus probable, tout irait bien. Dans le cas contraire, on saurait ce qu'elle était et s'il n'y avait pas moyen de s'en arranger d'abord pour la vaincre ensuite.

Le docteur ouvrit la fenêtre et le bruit de la ville s'enfla d'un coup. D'un atelier voisin montait le sifflement bref et répété d'une scie mécanique. Rieux se secoua. Là était la certitude, dans le travail de tous les jours. Le reste tenait à des fils et à des mouvements insignifiants, on ne pouvait s'y arrêter **(13)**. L'essentiel était de bien faire son métier **(14)**.

II

[Rieux réclame des pouvoirs publics une action énergique contre la contagion. Après quelques atermoiements, à la mi-mai, l'état de peste est proclamé. La ville est isolée. Des mesures

---

1. L'évocation de la mer ne se trouve ni chez Thucydide ni chez Lucrèce. Athènes est, à vrai dire, à quelque distance de la côte...; **2.** Idée toute moderne, et, en tout cas, contraire aux vues de Lucrèce. Celui-ci, en présentant un tableau saisissant du fléau, qu'il explique par des causes naturelles, veut montrer que les dieux ne s'intéressent pas aux hommes; **3.** La réalité sera moins spectaculaire. La peste régnera sur Oran dans la monotonie et la grisaille. Cf. p. 83.

--- **QUESTIONS** ---

12. Quel changement de ton constatez-vous du début à la fin du passage ? Comment l'expliquez-vous ?
13. « Fils et mouvements » : ces deux termes ont à la fois une signification clinique et une signification symbolique. Montrez-le.
14. « Bien faire son métier » : quelle est la portée de cette maxime ?

sévères règlent la vie des habitants, peu à peu assujettis aux privations et à l'angoisse.]

Trois semaines après la fermeture des portes, Rieux trouva, à la sortie de l'hôpital, un jeune homme qui l'attendait.

« Je suppose, lui dit ce dernier, que vous me reconnaissez. »
Rieux croyait le connaître, mais il hésitait.

« Je suis venu avant ces événements, dit l'autre, vous demander des renseignements sur les conditions de vie des Arabes. Je m'appelle Raymond Rambert.

— Ah! oui, dit Rieux. Eh bien, vous avez maintenant un beau sujet de reportage. »

L'autre paraissait nerveux. Il dit que ce n'était pas cela et qu'il venait demander une aide au docteur Rieux.

« Je m'en excuse, ajouta-t-il, mais je ne connais personne dans cette ville et le correspondant de mon journal a le malheur d'être imbécile. »

Rieux lui proposa de marcher jusqu'à un dispensaire du centre, car il avait quelques ordres à donner. Ils descendirent les ruelles du quartier nègre[1]. Le soir approchait, mais la ville, si bruyante autrefois à cette heure-là, paraissait curieusement solitaire. Quelques sonneries de clairon dans le ciel encore doré témoignaient seulement que les militaires se donnaient l'air de faire leur métier. Pendant ce temps, le long des rues abruptes, entre les murs bleus, ocres et violets des maisons mauresques, Rambert parlait, très agité. Il avait laissé sa femme à Paris. A vrai dire, ce n'était pas sa femme, mais c'était la même chose. Il lui avait télégraphié dès la fermeture de la ville. Il avait d'abord pensé qu'il s'agissait d'un événement provisoire et il avait seulement cherché à correspondre avec elle. Ses confrères d'Oran lui avaient dit qu'ils ne pouvaient rien, la poste l'avait renvoyé, une secrétaire de la préfecture lui avait ri au nez. Il avait fini, après une attente de deux heures dans une file, par faire accepter un télégramme où il avait inscrit : « Tout va bien. A bientôt. »

Mais le matin, en se levant, l'idée lui était venue brusquement qu'après tout il ne savait pas combien de temps

---

1. Entre le centre et la hauteur où s'élève l'hôpital civil, le quartier indigène, désigné alors sous le nom de « village nègre », s'accroche à flanc de pente. On l'appelle aujourd'hui « ville nouvelle ». Au bas se trouvent deux casernes.

cela pouvait durer. Il avait décidé de partir. Comme il
était recommandé (dans son métier, on a des facilités), il
avait pu toucher le directeur du cabinet préfectoral et lui
avait dit qu'il n'avait pas de rapport avec Oran, que ce
n'était pas son affaire d'y rester, qu'il se trouvait là par
accident et qu'il était juste qu'on lui permît de s'en aller,
même si une fois dehors, on devait lui faire subir une
quarantaine. Le directeur lui avait dit qu'il comprenait
très bien, mais qu'on ne pouvait pas faire d'exception, qu'il
allait voir, mais qu'en somme la situation était grave et que
l'on ne pouvait rien décider.

« Mais enfin, avait dit Rambert, je suis étranger à cette
ville.

— Sans doute, mais après tout, espérons que l'épidémie
ne durera pas. »

Pour finir, il avait essayé de consoler Rambert en lui
faisant remarquer aussi qu'il pouvait trouver à Oran la
matière d'un reportage intéressant et qu'il n'était pas d'événement, tout bien considéré, qui n'eût son bon côté. Rambert haussait les épaules. On arrivait au centre de la ville :

« C'est stupide, Docteur, vous comprenez. Je n'ai pas
été mis au monde pour faire des reportages. Mais peut-être
ai-je été mis au monde pour vivre avec une femme. Cela
n'est-il pas dans l'ordre ? »

Rieux dit qu'en tout cas cela paraissait raisonnable.

Sur les boulevards du centre, ce n'était pas la foule
ordinaire. Quelques passants se hâtaient vers des demeures
lointaines. Aucun ne souriait. Rieux pensa que c'était le
résultat de l'annonce Ransdoc qui se faisait ce jour-là[1]. Au
bout de vingt-quatre heures, nos concitoyens recommen-
çaient à espérer. Mais le jour même, les chiffres étaient
encore trop frais dans les mémoires.

« C'est que, dit Rambert sans crier gare, elle et moi
nous sommes rencontrés depuis peu et nous nous entendons
bien. »

Rieux ne disait rien.

« Mais je vous ennuie, reprit Rambert. Je voulais seulement vous demander si vous ne pouvez pas me faire un

---

1. L'agence Ransdoc, « renseignements, documentation, tous les renseignements sur n'importe quel sujet », a été chargée officiellement de diffuser
chaque lundi, par voie radiophonique, les statistiques concernant l'épidémie.
Cf. *Carnets*, p. 230.

certificat où il serait affirmé que je n'ai pas cette sacrée maladie. Je crois que cela pourrait me servir. »

Rieux approuva de la tête, il reçut un petit garçon qui se jetait dans ses jambes et le remit doucement sur ses pieds. Ils repartirent et arrivèrent sur la place d'Armes[1]. Les branches des ficus[2] et des palmiers pendaient, immobiles, grises de poussière, autour d'une statue de la République, poudreuse et sale. Ils s'arrêtèrent sous le monument. Rieux frappa contre le sol, l'un après l'autre, ses pieds couverts d'un enduit blanchâtre. Il regarda Rambert. Le feutre un peu en arrière, le col de chemise déboutonné sous la cravate, mal rasé, le journaliste avait un air buté et boudeur.

« Soyez sûr que je vous comprends, dit enfin Rieux, mais votre raisonnement n'est pas bon. Je ne peux pas vous faire ce certificat parce qu'en fait j'ignore si vous avez ou non cette maladie et parce que, même dans ce cas, je ne puis pas certifier qu'entre la seconde où vous sortirez de mon bureau et celle où vous entrerez à la préfecture, vous ne serez pas infecté. Et puis même...

— Et puis même ? dit Rambert.

— Et puis, même si je vous donnais ce certificat, il ne vous servirait de rien.

— Pourquoi ?

— Parce qu'il y a dans cette ville des milliers d'hommes dans votre cas et qu'on ne peut cependant pas les laisser sortir.

— Mais s'ils n'ont pas la peste eux-mêmes ?

— Ce n'est pas une raison suffisante. Cette histoire est stupide, je sais bien, mais elle nous concerne tous[3]. Il faut la prendre comme elle est.

— Mais je ne suis pas d'ici !

— A partir de maintenant, hélas ! vous serez d'ici comme tout le monde. »

L'autre s'animait :

---

1. La place d'Armes (par la suite nommée place Foch) est située au centre de la ville (voir plan, p. 105). Elle porte une colonne commémorative du combat de Sidi-Brahim (1845), ornée de deux statues en bronze de Dalou (1838-1902) : au sommet, la Gloire ; au bas, la France (1898) ; 2. *Ficus :* nom scientifique du figuier. Désigne en particulier une espèce qui se rencontre en abondance dans les pays méditerranéens ; 3. C'est ce que, dans *l'Etat de siège*, la Peste démontrera à ses administrés.

« C'est une question d'humanité, je vous le jure. Peut-être ne vous rendez-vous pas compte de ce que signifie une séparation comme celle-ci pour deux personnes qui s'entendent bien. »

Rieux ne répondit pas tout de suite. Puis il dit qu'il croyait qu'il s'en rendait compte. De toutes ses forces, il désirait que Rambert retrouvât sa femme et que tous ceux qui s'aimaient fussent réunis, mais il y avait des arrêtés et des lois, il y avait la peste, son rôle à lui était de faire ce qu'il fallait.

« Non, dit Rambert avec amertume, vous ne pouvez pas comprendre. Vous parlez le langage de la raison, vous êtes dans l'abstraction. »

Le docteur leva les yeux sur la République et dit qu'il ne savait pas s'il parlait le langage de la raison, mais il parlait le langage de l'évidence et ce n'était pas forcément la même chose (**15**). Le journaliste rajustait sa cravate :

« Alors, cela signifie qu'il faut que je me débrouille autrement ? Mais, reprit-il avec une sorte de défi, je quitterai cette ville. »

Le docteur dit qu'il le comprenait encore, mais que cela ne le regardait pas.

« Si, cela vous regarde, fit Rambert avec un éclat soudain. Je suis venu vers vous parce qu'on m'a dit que vous aviez eu une grande part dans les décisions prises. J'ai pensé alors que, pour un cas au moins, vous pourriez défaire ce que vous aviez contribué à faire. Mais cela vous est égal. Vous n'avez pensé à personne. Vous n'avez pas tenu compte de ceux qui étaient séparés. »

Rieux reconnut que, dans un sens, cela était vrai, il n'avait pas voulu en tenir compte[1].

---

1. Rieux a préconisé des mesures sévères d'isolement en sachant qu'il en serait la première victime, puisqu'elles lui interdiraient de retrouver sa femme. Rambert ignore ce drame personnel.

--- **QUESTIONS** ---

15. Tout à l'heure, Rambert avançait que ses aspirations étaient « dans l'ordre ». Le docteur se bornait à les trouver « raisonnables ». Rieux distingue maintenant le langage de la « raison » et celui de l'« évidence ». Que signifient ces oppositions ? Que nous apprennent-elles sur Rieux ?

« Ah! je vois, fit Rambert, vous allez parler de service public. Mais le bien public est fait du bonheur de chacun.

— Allons, dit le docteur qui semblait sortir d'une distraction, il y a cela et il y a autre chose. Il ne faut pas juger. Mais vous avez tort de vous fâcher. Si vous pouvez vous tirer de cette affaire, j'en serai profondément heureux. Simplement, il y a des choses que ma fonction m'interdit. »

L'autre secoua la tête avec impatience.

« Oui, j'ai tort de me fâcher. Et je vous ai pris assez de temps comme cela. »

Rieux lui demanda de le tenir au courant de ses démarches et de ne pas lui garder rancune. Il y avait sûrement un plan sur lequel ils pouvaient se rencontrer. Rambert parut soudain perplexe :

« Je le crois, dit-il, après un silence, oui, je le crois malgré moi et malgré tout ce que vous m'avez dit. »

Il hésita :

« Mais je ne puis pas vous approuver. »

Il baissa son feutre sur le front et partit d'un pas rapide. Rieux le vit entrer dans l'hôtel où habitait Jean Tarrou[1].

Après un moment, le docteur secoua la tête. Le journaliste avait raison dans son impatience de bonheur. Mais avait-il raison quand il l'accusait ? « Vous vivez dans l'abstraction. » Était-ce vraiment l'abstraction que ces journées passées dans son hôpital où la peste mettait les bouchées doubles, portant à cinq cents le nombre moyen des victimes par semaine? Oui, il y avait dans le malheur une part d'abstraction et d'irréalité. Mais quand l'abstraction se met à vous tuer, il faut bien s'occuper de l'abstraction. Et Rieux savait seulement que ce n'était pas le plus facile (**16**). [...]

Oui, la peste, comme l'abstraction, était monotone. Une seule chose peut-être changeait et c'était Rieux lui-même.

---

1. L'hôtel Continental, au début du boulevard Clemenceau, qui prend sur la place d'Armes (voir plan, p. 105).

───── **QUESTIONS** ─────

16. L' « abstraction » dans laquelle Rambert reproche à son interlocuteur de s'installer est-elle l' « abstraction » contre laquelle Rieux mène la lutte? Étudiez l'origine et la portée du malentendu qui sépare les deux interlocuteurs. Quel est, cependant, le plan sur lequel ils peuvent « se rencontrer »?

Il le sentait ce soir-là, au pied du monument à la République, conscient seulement de la difficile indifférence qui commençait à l'emplir, regardant toujours la porte d'hôtel où Rambert avait disparu (**17**) [...]

***

[« Pour lutter contre le fléau avec leurs propres moyens », les autorités ecclésiastiques organisent une semaine de prières collectives. Ces manifestations se terminent, un dimanche de la fin de juin, par une messe solennelle au cours de laquelle prend la parole un savant religieux, le père Paneloux.]

La cathédrale de notre ville, en tout cas, fut à peu près remplie par les fidèles pendant toute la semaine. Les premiers jours, beaucoup d'habitants restaient encore dans les jardins de palmiers et de grenadiers qui s'étendent devant le porche[1], pour écouter la marée d'invocations et de prières qui refluaient jusque dans les rues. Peu à peu, l'exemple aidant, les mêmes auditeurs se décidèrent à entrer et à mêler une voix timide aux répons de l'assistance. Et le dimanche, un peuple considérable envahit la nef, débordant jusque sur le parvis et les derniers escaliers. Depuis la veille, le ciel s'était assombri, la pluie tombait à verse. Ceux qui se tenaient dehors avaient ouvert leurs parapluies. Une odeur d'encens et d'étoffes mouillées flottait dans la cathédrale quand le père Paneloux monta en chaire.

Il était de taille moyenne, mais trapu. Quand il s'appuya sur le rebord de la chaire, serrant le bois entre ses grosses mains, on ne vit de lui qu'une forme épaisse et noire surmontée des deux taches de ses joues, rubicondes sous les lunettes d'acier. Il avait une voix forte, passionnée, qui

---

1. La cathédrale d'Oran, consacrée en 1930, est un édifice de style néo-byzantin dont la façade cintrée, flanquée de deux tours carrées, est précédée d'un parvis relié par de vastes degrés au square Jeanne-d'Arc.

——— **QUESTIONS** ———

17. Analysez les sentiments de Rieux. — Montrez que son attitude ne se réduit pas au rigorisme, à l'ascétisme, à l'héroïsme.

portait loin, et lorsqu'il attaqua l'assistance d'une seule phrase véhémente et martelée : « Mes frères, vous êtes dans le malheur, mes frères, vous l'avez mérité[1] », un remous parcourut l'assistance jusqu'au parvis (**18**).

Logiquement, ce qui suivit ne semblait pas se raccorder à cet exorde pathétique. C'est la suite du discours qui fit seulement comprendre à nos concitoyens que, par un procédé oratoire habile, le Père avait donné en une seule fois, comme on assène un coup, le thème de son prêche entier. Paneloux, tout de suite après cette phrase, en effet, cita le texte de l'Exode relatif à la peste en Égypte et dit : « La première fois que ce fléau apparaît dans l'histoire, c'est pour frapper les ennemis de Dieu. Pharaon[2] s'oppose aux desseins éternels et la peste le fait alors tomber à genoux[3]. Depuis le début de toute histoire, le fléau de Dieu met à ses pieds les orgueilleux et les aveugles. Méditez cela et tombez à genoux[4]. »

La pluie redoublait dehors et cette dernière phrase, prononcée au milieu d'un silence absolu, rendu plus profond encore par le crépitement de l'averse sur les vitraux, retentit avec un tel accent que quelques auditeurs, après une

---

1. Cf. le mandement de l'évêque de Senez, en 1721 : « C'est l'ordre de Dieu et l'extrémité de votre besoin qui nous obligent d'élever notre voix comme une trompette pour annoncer à notre cher peuple ses iniquités, pour faire servir la plus juste terreur de la mort à un plus prompt changement de vie, et pour retirer tous les pécheurs de leur mortel assoupissement. » (Gaffarel-Duranty, *la Peste de 1720*, p. 22) ; **2.** *Pharaon* : nom donné au roi d'Egypte dans l'Ancien Testament ; **3.** Dans *l'Exode*, le Seigneur envoie successivement sur l'Egypte dix fléaux justiciers pour inciter Pharaon à laisser partir le peuple hébreu qu'il opprime. La cinquième « plaie » est une peste du bétail. La sixième est une maladie éruptive qui produit des ulcères et des pustules. Il faudra attendre la dixième (mort des premiers-nés) pour que Pharaon obtempère à l'ordre divin. On ne le voit pas « tomber à genoux », contrairement à ce que dit l'orateur. Sur la peste punisseuse, voir Lévitique (XXVI, 25), Jérémie (XXIX, 18) et surtout Ezéchiel (VII, 15) : « Au-dehors, l'épée ; au-dedans, la peste et la famine ; celui qui est au champ mourra par l'épée, et celui qui est dans la ville, la famine et la peste le dévoreront » ; **4.** Tel est à peu près, selon Mathieu Marais, que le Père citera tout à l'heure (cf. p. 65), le sens de l'ordonnance publiée par l'évêque de Marseille lors de l'invasion du fléau : « Pour apaiser la colère du Seigneur, ayez recours à la pénitence et soumettez-vous aux sacrées décisions de l'Église. » (*Journal et Mémoires...*, à la date du 9 août 1720.) Cette attitude a été celle de certaines autorités religieuses en 1940.

QUESTIONS

---

18. Quel est l'intérêt des précisions qui nous sont données sur le portrait physique du père Paneloux ?

seconde d'hésitation, se laissèrent glisser de leur chaise sur le prie-Dieu. D'autres crurent qu'il fallait suivre leur exemple, si bien que, de proche en proche, sans un autre bruit que le craquement de quelques chaises, tout l'auditoire se trouva bientôt à genoux. Paneloux se redressa alors, respira profondément et reprit sur un ton de plus en plus accentué : « Si, aujourd'hui, la peste vous regarde, c'est que le moment de réfléchir est venu. Les justes ne peuvent craindre cela, mais les méchants ont raison de trembler. Dans l'univers, le fléau implacable battra le blé humain jusqu'à ce que la paille soit séparée du grain[1]. Il y aura plus de paille que de grain, plus d'appelés que d'élus[2], et ce malheur n'a pas été voulu par Dieu. Trop longtemps, ce monde a composé avec le mal, trop longtemps, il s'est reposé sur la miséricorde divine. Il suffisait du repentir, tout était permis[3]. Et pour le repentir, chacun se sentait fort. Le moment venu, on l'éprouverait assurément. D'ici là, le plus facile était de se laisser aller, la miséricorde divine ferait le reste[4]. Eh bien! cela ne pouvait durer. Dieu, qui, pendant si longtemps, a penché sur les hommes de cette ville son visage de pitié, lassé d'attendre, déçu dans son éternel espoir, vient de détourner son regard. Privés de la lumière de Dieu, nous voici pour longtemps dans les ténèbres de la peste! »

Dans la salle quelqu'un s'ébroua, comme un cheval impatient. Après une courte pause, le Père reprit, sur un ton plus bas : « On lit dans *la Légende dorée*[5] qu'au temps du roi Humbert, en Lombardie, l'Italie fut ravagée d'une

---

1. Les semailles, les moissons, les battages fournissent à la Bible d'innombrables images. L'Apocalypse de Jean présente une vision qui peut avoir particulièrement inspiré le père Paneloux : un ange, armé d'une faucille, descend sur la terre pour « moissonner » les impies (XIV, 14-16); 2. Cf. la formule qui clôt la parabole du repas de noces : « Car il y a beaucoup d'appelés et peu d'élus « (Matthieu, XXII, 14); 3. Cette expression (qui se trouve dans la Première Épître de Paul aux Corinthiens [VI, 12 et X, 23]) revient constamment chez Camus. Ici, elle concerne les chrétiens de mauvaise foi qui s'octroient durant leur vie toutes sortes de licences dans l'espoir que, le moment venu, la mansuétude de Dieu leur accordera la rémission de leurs péchés. Dans de nombreux autres écrits, elle vise les athées qui professent que si Dieu n'existe pas, rien n'est défendu. A ceux-là, Camus précise, au contraire, dans *le Mythe de Sisyphe*, que si l'homme est seul garant de la moralité, il devient seul garant de ses actes et engage d'autant sa propre responsabilité. Cf. le chapitre de *l'Homme révolté* intitulé « le Refus du salut »; 4. Cf. le Sermon sur la montagne : « Cherchez premièrement le royaume dè Dieu et sa justice, et tout cela (les biens nécessaires à la vie) vous sera donné par surcroît. » (Matthieu, VI, 33.) 5. Recueil de vies de saints, composé vers 1260 par Jacques de Varazze ou de Voragine (1228-1298).

peste si violente qu'à peine les vivants suffisaient-ils à enterrer les morts et cette peste sévissait surtout à Rome et à Pavie. Et un bon ange apparut visiblement, qui donnait des ordres au mauvais ange qui portait un épieu de chasse et il lui ordonnait de frapper les maisons; et autant de fois qu'une maison recevait de coups, autant y avait-il de morts qui en sortaient[1]. »

Paneloux tendit ici ses deux bras courts dans la direction du parvis, comme s'il montrait quelque chose derrière le rideau mouvant de la pluie : « Mes frères, dit-il avec force, c'est la même chasse mortelle qui se courre[2] aujourd'hui dans nos rues. Voyez-le, cet ange de la peste[3], beau comme Lucifer[4] et brillant comme le mal lui-même, dressé au-dessus de vos toits, la main droite portant l'épieu rouge à hauteur de sa tête, la main gauche désignant l'une de vos maisons. A l'instant, peut-être, son doigt se tend vers votre porte, l'épieu résonne sur le bois[5]; à l'instant encore, la peste entre chez vous, s'assied dans votre chambre et attend votre retour. Elle est là, patiente et attentive, assurée comme l'ordre même du monde. Cette main qu'elle vous tendra, nulle puissance terrestre et pas même, sachez-le bien, la vaine science humaine, ne peut faire que vous l'évitiez. Et battus sur l'aire sanglante de la douleur, vous serez rejetés avec la paille (**19**). »

Ici, le Père reprit avec plus d'ampleur encore l'image

---

1. La traduction de ce passage, tiré de la « Légende de saint Sébastien », est empruntée à la version de *la Légende dorée* établie par M. G. B. (Gosselin éd., Paris, 1843, t. Iᵉʳ, p. 93, et Rombaldi éd., Paris, 1942, t. Iᵉʳ, p. 43); **2.** *Courre* (terme de vénerie) : poursuivre un animal. Ce verbe n'est usité qu'à l'infinitif; **3.** Dans le Second Livre de Samuel (15-17), le Seigneur envoie une peste contre Israël pour punir David. L'exécution de la sentence est confiée à un ange exterminateur. Dans le *Journal de l'année de la peste*, Daniel Defoe raconte que des Londoniens croyaient voir dans le ciel un ange brandissant une épée de feu (trad. Nast, p. 39). Dans le mandement lancé par l'évêque de Marseille, le 22 octobre 1720, un ange punisseur vient provoquer les pécheurs à la pénitence. Cf. Papon, *De la peste...* II, p. 275; **4.** *Lucifer* : étym. « porte-lumière ». Les Pères de l'Église ont appliqué ce mot à Satan, ange déchu. (Sur les avatars littéraires de Satan, cf. *l'Homme révolté*, pp. 68-69); **5.** Pour éclairer les réminiscences de Paneloux, voir ci-contre l'illustration et sa légende.

———— QUESTIONS ————

19. Estimez-vous opportun de discréditer les secours humains devant des fidèles menacés par une horrible contagion? Voyez ce que Rieux et Tarrou disent des propos du Père à ce sujet (p. 70). Que pensez-vous de leur jugement?

LA PESTE À ROME
Tableau de Delaunay
(Salon de 1869).

« A l'instant peut-être,
son doigt se tend vers
votre porte, l'épieu
résonne sur le bois... »
(P. 60.)

Le Grand Dictionnaire
Larousse du XIXe siècle,
à l'article « peste », donne
le passage de la Légende
dorée que cite Paneloux.
Il décrit en outre le ta-
bleau que ce texte a ins-
piré à Jules-Élie Delau-
nay (1828-1891), la Peste
à Rome. (Cf. Marius
Chaumelin, l'Art contem-
porain [1874] « le Salon
de 1869 ».) Paneloux
semble avoir connu ces
deux documents. Mais si
le peintre suit d'assez
près le récit, l'orateur
concentre ses effets en
réduisant l'évocation à
un seul envoyé du ciel,
à la fois annonciateur et
exterminateur.

Phot. Giraudon.

LES PESTIFÉRÉS DE JAFFA
Esquisse de Gros (1771-1835).
(Voir p. 49, dernière ligne, et la note 5.)

Phot. Giraudon.

pathétique du fléau. Il évoqua l'immense pièce de bois tournoyant au-dessus de la ville, frappant au hasard et se relevant ensanglantée, éparpillant enfin le sang et la douleur humaine « pour des semailles qui prépareraient les moissons de la vérité ».

Au bout de sa longue période, le père Paneloux s'arrêta, les cheveux sur le front, le corps agité d'un tremblement que ses mains communiquaient à la chaire, et reprit, plus sourdement, mais sur un ton accusateur : « Oui, l'heure est venue de réfléchir. Vous avez cru qu'il vous suffirait de visiter Dieu le dimanche pour être libres de vos journées. Vous avez pensé que quelques génuflexions le paieraient bien assez de votre insouciance criminelle. Mais Dieu n'est pas tiède. Ces rapports espacés ne suffisaient pas à sa dévorante tendresse. Il voulait vous voir plus longtemps, c'est sa manière de vous aimer et, à vrai dire, c'est la seule manière d'aimer. Voilà pourquoi, fatigué d'attendre votre venue, il a laissé le fléau vous visiter comme il a visité toutes les villes du péché depuis que les hommes ont une histoire. Vous savez maintenant ce qu'est le péché, comme l'ont su Caïn et ses fils[1], ceux d'avant le Déluge[2], ceux de Sodome et de Gomorrhe[3], Pharaon et Job[4] et aussi tous les maudits. Et comme tous ceux-là l'ont fait, c'est un regard neuf que vous portez sur les êtres et sur les choses, depuis le jour où cette ville a refermé ses murs autour de vous et du fléau. Vous savez maintenant, et enfin, qu'il faut venir à l'essentiel. »

Un vent humide s'engouffrait à présent sous la nef et les flammes des cierges se courbèrent en grésillant. Une odeur épaisse de cire, des toux, un éternuement montèrent vers le père Paneloux qui, revenant sur son exposé avec une

---

1. Caïn, fils aîné d'Adam et d'Ève, tua par jalousie son frère Abel. A la suite de ce forfait, il fut chassé du jardin d'Éden et maudit (Genèse, IV, 1-24). Cf. dans *l'Homme révolté* le chapitre intitulé « les Fils de Caïn »; 2. D'après la Genèse (VI, 7-8), les hommes s'étant corrompus, Dieu fit pleuvoir sur la terre pendant quarante jours et quarante nuits. Tous périrent noyés sous le débordement des eaux, sauf Noé et ses descendants; 3. *Sodome et Gomorrhe* : villes de Palestine détruites par le feu du ciel en châtiment de leur dépravation (Genèse, XIX, 23-25). Une pièce de Giraudoux, représentée en 1943, porte ces deux noms comme titre; 4. Job, célèbre par sa vertu et sa piété, fut mis à l'épreuve par Satan. Privé de ses enfants, dépouillé de ses biens, souffrant d'un ulcère, il n'en continua pas moins à bénir le Seigneur, qui, finalement, le combla de faveurs (Livre de Job). Bien que Job s'accuse d'avoir laissé parfois échapper quelques plaintes, on s'explique mal sa présence ici parmi les pécheurs punis par la colère de Dieu.

subtilité qui fut très appréciée, reprit d'une voix calme :
« Beaucoup d'entre vous, je le sais, se demandent justement où je veux en venir. Je veux vous faire venir à la vérité
et vous apprendre à vous réjouir, malgré tout ce que j'ai dit.
Le temps n'est plus où des conseils, une main fraternelle
étaient les moyens de vous pousser vers le bien. Aujour-
d'hui la vérité est un ordre. Et le chemin du salut, c'est
un épieu rouge qui vous le montre et vous y pousse. C'est
ici, mes frères, que se manifeste enfin la miséricorde divine
qui a mis en toute chose le bien et le mal, la colère et la
pitié, la peste et le salut. Ce fléau même qui vous meurtrit,
il vous élève et vous montre la voie[1].

« Il y a bien longtemps, les chrétiens d'Abyssinie[2] voyaient
dans la peste un moyen efficace, d'origine divine, de gagner
l'éternité. Ceux qui n'étaient pas atteints s'enroulaient dans
les draps des pestiférés afin de mourir certainement. Sans
doute, cette fureur de salut n'est-elle pas recommandable.
Elle marque une précipitation regrettable, bien proche
de l'orgueil. Il ne faut pas être plus pressé que Dieu et
tout ce qui prétend accélérer l'ordre immuable, qu'il a
établi une fois pour toutes, conduit à l'hérésie. Mais, du
moins, cet exemple comporte sa leçon. A nos esprits plus
clairvoyants, il fait valoir seulement cette lueur exquise
d'éternité qui gît au fond de toute souffrance. Elle éclaire,
cette lueur, les chemins crépusculaires qui mènent vers
la délivrance. Elle manifeste la volonté divine qui, sans
défaillance, transforme le mal en bien. Aujourd'hui encore,
à travers ce cheminement de mort, d'angoisses et de cla-
meurs, elle nous guide vers le silence essentiel et vers le
principe de toute vie. Voilà, mes frères, l'immense consolation que je voulais vous apporter pour que ce ne soient
pas seulement des paroles qui châtient que vous empor-
tiez d'ici, mais aussi un verbe qui apaise. »

On sentait que Paneloux avait fini. Au dehors, la pluie
avait cessé. Un ciel mêlé d'eau et de soleil déversait sur la
place une lumière plus jeune. De la rue montaient des

---

1. Le *Deutéronome* fournit à Paneloux bon nombre de ses thèmes : « l'Éternel vous aime » (VII, 8); Pharaon (VI, 21; VII, 8 et 18; XI, 3); les Voies du Seigneur (VIII, 6); la Miséricorde divine (VII, 9 et 12); la Peste rédemptrice
(XXVIII, 21); **2.** Ancien nom de l'Éthiopie en Afrique orientale. L'anecdote
eut pour théâtre une communauté des chrétiens d'Abyssinie à Jérusalem;
elle est relatée, de seconde main, par A. Proust (p. 129).

bruits de voix, des glissements de véhicules, tout le langage d'une ville qui s'éveille. Les auditeurs réunissaient discrètement leurs affaires dans un remue-ménage assourdi. Le Père reprit cependant la parole et dit qu'après avoir montré l'origine divine de la peste et le caractère punitif de ce fléau, il en avait terminé et qu'il ne ferait pas appel pour sa conclusion à une éloquence qui serait déplacée, touchant une matière si tragique. Il lui semblait que tout devait être clair à tous. Il rappela seulement qu'à l'occasion de la grande peste de Marseille[1], le chroniqueur Mathieu Marais[2] s'était plaint d'être plongé dans l'enfer, à vivre ainsi sans secours et sans espérance. Eh bien! Mathieu Marais était aveugle! Jamais plus qu'aujourd'hui, au contraire, le père Paneloux n'avait senti le secours divin et l'espérance chrétienne qui étaient offerts à tous. Il espérait contre tout espoir que, malgré l'horreur de ces journées et les cris des agonisants, nos concitoyens adresseraient au ciel la seule parole qui fût chrétienne et qui était d'amour. Dieu ferait le reste (**20**).

⋆
⋆ ⋆

[Les propos du père Paneloux rendent « plus sensible à certains l'idée, vague jusque-là, qu'ils sont condamnés pour un crime inconnu à un emprisonnement inimaginable ». La ville désemparée cède à un morne abattement.

Grand, toutefois, bénéficie d'un merveilleux dérivatif. Un soir d'abandon, il confie au docteur son secret.]

---

1. Cf. p. 49; **2.** Mathieu Marais (1665-1737) écrit effectivement, à la date du 15 août 1720 : « C'est un vrai enfer que d'être ainsi sans secours et sans espérance » (*Journal et Mémoires sur la Régence et le règne de Louis XV*), mais il n'énonce nullement cette constatation comme une *plainte :* il vit loin de Marseille et n'a aucune part aux événements. Il semble que Paneloux ne le cite qu'à travers A. Proust (p. 51), et se méprenne sur le contexte.

--- QUESTIONS ---

20. Résumez le sermon. Montrez que le thème énoncé dans l'exorde est un lieu commun de l'éloquence sacrée, mais que l'orateur met une chaleur particulière à présenter le fléau comme un châtiment providentiel. Comment passe-t-il de ce début à l'exhortation finale ? Estimez-vous, comme le fera le juge Othon, que cet exposé est « absolument irréfutable », ou, comme le dira Tarrou, qu'il n'y a là que « rhétorique » ?

Quelque part dans le ciel noir, au-dessus des lampa-
daires, un sifflement sourd lui rappela l'invisible fléau qui
brassait inlassablement l'air chaud.

« Heureusement, heureusement », disait Grand.

Rieux se demandait ce qu'il voulait dire.

« Heureusement, disait l'autre, j'ai mon travail.

— Oui, dit Rieux, c'est un avantage. »

Et, décidé à ne pas écouter le sifflement, il demanda à
Grand s'il était content de ce travail (**21**).

« Eh bien, je crois que je suis dans la bonne voie.

— Vous en avez encore pour longtemps? »

Grand parut s'animer, la chaleur de l'alcool passa dans
sa voix[1].

« Je ne sais pas. Mais la question n'est pas là, Docteur,
ce n'est pas la question, non. »

Dans l'obscurité, Rieux devinait qu'il agitait ses bras.
Il semblait préparer quelque chose qui vint brusquement,
avec volubilité[2] :

« Ce que je veux, voyez-vous, Docteur, c'est que le jour
où le manuscrit arrivera chez l'éditeur, celui-ci se lève
après l'avoir lu et dise à ses collaborateurs : « Messieurs,
« chapeau bas! »

Cette brusque déclaration surprit Rieux. Il lui sembla
que son compagnon faisait le geste de se découvrir, portant
la main à sa tête, et ramenant son bras à l'horizontale.
Là-haut, le bizarre sifflement semblait reprendre avec plus
de force.

« Oui, disait Grand, il faut que ce soit parfait. »

Quoique peu averti des usages de la littérature, Rieux
avait cependant l'impression que les choses ne devaient
pas se passer aussi simplement et que, par exemple, les
éditeurs, dans leurs bureaux, devaient être nu-tête. Mais,
en fait, on ne savait jamais, et Rieux préféra se taire. Malgré

---

1. Pour ne pas abandonner Grand à sa solitude, Rieux vient de l'inviter
à prendre une consommation dans un café. A sa grande surprise, l'employé
a commandé un alcool, qu'il a avalé d'un trait; **2.** Rapidité de débit qui, chez
Grand, est vraiment exceptionnelle.

QUESTIONS

21. Cette scène est accompagnée du sifflement du fléau auquel
répond le bourdonnement de la ville. Justifiez chacune de ces
notations et dites quel est l'intérêt de ce duo.

lui, il prêtait l'oreille aux rumeurs mystérieuses de la peste.
On approchait du quartier de Grand et comme il était un
peu surélevé, une légère brise les rafraîchissait qui nettoyait
en même temps la ville de tous ses bruits. Grand continuait
cependant de parler et Rieux ne saisissait pas tout ce que
disait le bonhomme. Il comprit seulement que l'œuvre en
question avait déjà beaucoup de pages, mais que la peine
que son auteur prenait pour l'amener à la perfection lui était
très douloureuse. « Des soirées, des semaines entières sur un
mot... et quelquefois une simple conjonction. » Ici, Grand
s'arrêta et prit le docteur par un bouton de son manteau.
Les mots sortaient en trébuchant de sa bouche mal garnie.

« Comprenez bien, Docteur. A la rigueur, c'est assez
facile de choisir entre *mais* et *et*. C'est déjà plus difficile
d'opter entre *et* et *puis*. La difficulté grandit avec *puis* et
ensuite. Mais, assurément, ce qu'il y a de plus difficile
c'est de savoir s'il faut mettre *et* ou s'il ne faut pas.

— Oui, dit Rieux, je comprends. »

Et il se remit en route. L'autre parut confus, se mit de
nouveau à sa hauteur.

« Excusez-moi, bredouilla-t-il. Je ne sais pas ce que j'ai,
ce soir ! »

Rieux lui frappa doucement sur l'épaule et lui dit qu'il
désirait l'aider et que son histoire l'intéressait beaucoup.
L'autre parut un peu rasséréné et, arrivé devant la maison,
après avoir hésité, offrit au docteur de monter un moment.
Rieux accepta.

Dans la salle à manger, Grand l'invita à s'asseoir devant
une table pleine de papiers couverts de ratures sur une
écriture microscopique.

« Oui, c'est ça, dit Grand au docteur qui l'interrogeait
du regard. Mais voulez-vous boire quelque chose ? J'ai
un peu de vin[1]. »

Rieux refusa. Il regardait les feuilles de papier.

« Ne regardez pas, dit Grand. C'est ma première phrase.
Elle me donne du mal, beaucoup de mal. »

Lui aussi contemplait toutes ces feuilles et sa main parut
invinciblement attirée par l'une d'elles qu'il éleva en trans-

---

[1]. Grand, dont les ressources sont limitées, n'a que peu de chose à offrir
à son invité. Les restrictions, cependant, donnent une certaine valeur à cette
boisson modeste.

parence devant l'ampoule électrique sans abat-jour. La feuille tremblait dans sa main. Rieux remarqua que le front de l'employé était moite.

« Asseyez-vous, dit-il, et lisez-la-moi (**22**). »

L'autre le regarda et sourit avec une sorte de gratitude.

« Oui, dit-il, je crois que j'en ai envie. »

Il attendit un peu, regardant toujours la feuille, puis s'assit. Rieux écoutait en même temps une sorte de bourdonnement confus qui, dans la ville, semblait répondre aux sifflements du fléau. Il avait, à ce moment précis, une perception extraordinairement aiguë de cette ville qui s'étendait à ses pieds, du monde clos qu'elle formait et des terribles hurlements qu'elle étouffait dans la nuit. La voix de Grand s'éleva sourdement : « Par une belle matinée du mois de mai, une élégante amazone parcourait, sur une superbe jument alezane[1], les allées fleuries du bois de Boulogne. » Le silence revint et, avec lui, l'indistincte rumeur de la ville en souffrance. Grand avait posé la feuille et continuait à la contempler. Au bout d'un moment, il releva les yeux :

« Qu'en pensez-vous ? »

Rieux répondit que ce début le rendait curieux de connaître la suite. Mais l'autre dit avec animation que ce point de vue n'était pas le bon. Il frappa ses papiers du plat de la main.

« Ce n'est là qu'une approximation. Quand je serai arrivé à rendre parfaitement le tableau que j'ai dans l'imagination, quand ma phrase aura l'allure même de cette promenade au trot, une-deux-trois, une-deux-trois, alors le reste sera plus facile et surtout l'illusion sera telle, dès le début, qu'il sera possible de dire : « Chapeau bas ! »

Mais, pour cela, il avait encore du pain sur la planche. Il ne consentirait jamais à livrer cette phrase telle quelle à un imprimeur. Car, malgré le contentement qu'elle lui

---

1. Grand ignore que ce mot signifie « de couleur fauve », en parlant des chevaux. D'où sa bévue ultérieure; cf. p. 75.

cf. p. 75.

──────── **QUESTIONS** ────────

22. L'attitude de Rieux est bienveillante. Mais *comprend-il* les soucis de Grand autant qu'il le dit ? Analysez les sentiments des deux interlocuteurs.

donnait parfois, il se rendait compte qu'elle ne collait pas tout à fait encore à la réalité et que, dans une certaine mesure, elle gardait une facilité de ton qui l'apparentait de loin, mais qui l'apparentait tout de même, à un cliché. C'était, du moins, le sens de ce qu'il disait quand on entendit des hommes courir sous les fenêtres. Rieux se leva.

« Vous verrez ce que j'en ferai », disait Grand, et, tourné vers la fenêtre, il ajouta : « Quand tout cela sera fini (23). » [...]

***

[Tarrou, nouveau venu à Oran, avait d'abord goûté nonchalamment les plaisirs des temps heureux tout en notant avec prédilection dans ses carnets les aspects provinciaux de la ville ou les comportements insignifiants de ses habitants. L'irruption du fléau mobilise en lui de plus profondes ressources : un soir du mois d'août, il vient offrir à Rieux de constituer, pour l'aider, des formations sanitaires volontaires. Le docteur, qui accepte avec joie, lui signale toutefois le danger auquel il va s'exposer.]

— Ce travail peut être mortel, vous le savez bien. Et dans tous les cas, il faut que je vous en avertisse. Avez-vous bien réfléchi ?

Tarrou le regardait de ses yeux gris et tranquilles.

« Que pensez-vous du prêche de Paneloux, Docteur ? »

La question était posée naturellement et Rieux y répondit naturellement.

« J'ai trop vécu dans les hôpitaux pour aimer l'idée de punition collective. Mais, vous savez, les chrétiens parlent quelquefois ainsi, sans le penser jamais réellement. Ils sont meilleurs qu'ils ne paraissent.

— Vous pensez pourtant comme Paneloux, que la peste a sa bienfaisance, qu'elle ouvre les yeux, qu'elle force à penser ! »

Le docteur secoua la tête avec impatience :

« Comme toutes les maladies de ce monde. Mais ce qui

─────── QUESTIONS ───────

23. La phrase de Grand : appréciez successivement les intentions de l'auteur, l'exécution, le jugement qu'il porte sur le résultat de son travail.

est vrai des maux de ce monde est vrai aussi de la peste. Cela peut servir à grandir quelques-uns. Cependant, quand on voit la misère et la douleur qu'elle apporte, il faut être fou, aveugle ou lâche pour se résigner à la peste (**24**). »

Rieux avait à peine élevé le ton. Mais Tarrou fit un geste de la main comme pour le calmer. Il souriait.

« Oui, dit Rieux en haussant les épaules. Mais vous ne m'avez pas répondu. Avez-vous réfléchi ? »

Tarrou se carra un peu dans son fauteuil et avança la tête vers la lumière.

« Croyez-vous en Dieu, Docteur[1] ? »

La question était encore posée naturellement. Mais cette fois, Rieux hésita.

« Non, mais qu'est-ce que cela veut dire ? Je suis dans la nuit, et j'essaie d'y voir clair. Il y a longtemps que j'ai cessé de trouver ça original.

— N'est-ce pas ce qui vous sépare de Paneloux ?

— Je ne crois pas. Paneloux est un homme d'études. Il n'a pas vu assez mourir et c'est pourquoi il parle au nom d'une vérité. Mais le moindre prêtre de campagne qui administre ses paroissiens et qui a entendu la respiration d'un mourant pense comme moi. Il soignerait la misère avant de vouloir en démontrer l'excellence. »

Rieux se leva, son visage était maintenant dans l'ombre.

« Laissons cela, dit-il, puisque vous ne voulez pas répondre. »

Tarrou sourit sans bouger de son fauteuil.

« Puis-je répondre par une question ? »

A son tour le docteur sourit :

« Vous aimez le mystère, dit-il. Allons-y.

— Voilà, dit Tarrou. Pourquoi vous-même montrez-vous tant de dévouement puisque vous ne croyez pas en Dieu ? Votre réponse m'aidera peut-être à répondre moi-même. »

---

1. Sur l'attitude d'Albert Camus à l'égard du christianisme, cf. « Réflexions sur le christianisme », dans *la Vie intellectuelle* du 1er décembre 1946, et « l'Incroyant et les chrétiens », dans *Actuelles* (p. 211).

--- **QUESTIONS** ---

24. « Il faut être fou, aveugle ou lâche pour se résigner à la peste. » Précisez la valeur de chaque adjectif.

Sans sortir de l'ombre, le docteur dit qu'il avait déjà répondu, que s'il croyait en un Dieu tout-puissant, il cesserait de guérir les hommes, lui laissant alors ce soin. Mais que personne au monde, non, pas même Paneloux qui croyait y croire, ne croyait en un Dieu de cette sorte, puisque personne ne s'abandonnait totalement et qu'en cela du moins, lui, Rieux, croyait être sur le chemin de la vérité, en luttant contre la création telle qu'elle était.

« Ah! dit Tarrou, c'est donc l'idée que vous vous faites de votre métier ?

— A peu près », répondit le docteur en revenant dans la lumière.

Tarrou siffla doucement[1] et le docteur le regarda.

« Oui, dit-il, vous vous dites qu'il y faut de l'orgueil. Mais je n'ai que l'orgueil qu'il faut, croyez-moi. Je ne sais pas ce qui m'attend ni ce qui viendra après tout ceci. Pour le moment il y a des malades et il faut les guérir. Ensuite, ils réfléchiront et moi aussi. Mais le plus pressé est de les guérir. Je les défends comme je peux, voilà tout.

— Contre qui ? »

Rieux se tourna vers la fenêtre. Il devinait au loin la mer à une condensation plus obscure de l'horizon. Il éprouvait seulement sa fatigue et luttait en même temps contre un désir soudain et déraisonnable de se livrer un peu plus à cet homme singulier, mais qu'il sentait fraternel.

« Je n'en sais rien, Tarrou, je vous jure que je n'en sais rien. Quand je suis entré dans ce métier, je l'ai fait abstraitement, en quelque sorte, parce que j'en avais besoin, parce que c'était une situation comme les autres, une de celles que les jeunes gens se proposent. Peut-être aussi parce que c'était particulièrement difficile pour un fils d'ouvrier comme moi[2]. Et puis il a fallu voir mourir. Savez-vous qu'il y a des gens qui refusent de mourir ? Avez-vous jamais entendu une femme crier : « Jamais! » au moment de mourir ? Moi, oui. Et je me suis aperçu alors que je ne pouvais pas m'y habituer. J'étais jeune alors et mon dégoût croyait s'adresser à l'ordre même du monde. Depuis, je suis devenu plus modeste. Simplement,

---

1. En signe d'admiration amicalement ironique; **2.** Le père d'Albert Camus était caviste dans une exploitation vinicole.

je ne suis toujours pas habitué à voir mourir. Je ne sais rien de plus. Mais après tout... »

Rieux se tut et se rassit. Il se sentait la bouche sèche.

« Après tout? dit doucement Tarrou.

— Après tout..., reprit le docteur, et il hésita encore, regardant Tarrou avec attention, c'est une chose qu'un homme comme vous peut comprendre, n'est-ce pas, mais puisque l'ordre du monde est réglé par la mort, peut-être vaut-il mieux pour Dieu qu'on ne croie pas en lui et qu'on lutte de toutes ses forces contre la mort, sans lever les yeux vers ce ciel où il se tait[1] (**25**).

— Oui, approuva Tarrou, je peux comprendre. Mais vos victoires seront toujours provisoires, voilà tout. »

Rieux parut s'assombrir.

« Toujours, je le sais. Ce n'est pas une raison pour cesser de lutter.

— Non, ce n'est pas une raison. Mais j'imagine alors ce que doit être cette peste pour vous.

— Oui, dit Rieux. Une interminable défaite (**26**). »

Tarrou fixa un moment le docteur, puis il se leva et marcha lourdement vers la porte. Et Rieux le suivit. Il le rejoignait déjà quand Tarrou, qui semblait regarder ses pieds, lui dit :

« Qui vous a appris tout cela, Docteur ? »

La réponse vint immédiatement :

« La misère[2]. »

Rieux ouvrit la porte de son bureau et, dans le couloir, dit à Tarrou qu'il descendait aussi, allant voir un de ses malades dans les faubourgs[3]. Tarrou lui proposa de l'accom-

---

1. Cf. Vigny, strophe ajoutée en 1862 au *Mont des Oliviers* :
Muet, aveugle et sourd au cri des créatures,
Si le ciel nous laissa comme un monde avorté,
Le juste opposera le dédain à l'absence
Et ne répondra plus que par un froid silence
Au silence éternel de la divinité.
2. Sur les leçons de la misère, voir la « Préface » de *l'Envers et l'endroit* et, dans *Actuelles*, la première « Réponse à Emmanuel d'Astier de La Vigerie » : « Je n'ai pas appris la liberté dans Marx. Il est vrai : je l'ai apprise dans la misère » ; **3.** Ce malade original ne quitte plus le lit depuis vingt-cinq ans. Pour mesurer le temps, il utilise, à la manière d'un sablier, deux marmites dans lesquelles il transvase des pois.

QUESTIONS

25. Dieu, le monde et l'homme dans la philosophie de Rieux.
26. La lucidité chez Rieux, source et sanction de l'action.

pagner et le docteur accepta. Au bout du couloir, ils ren-
contrèrent Mme Rieux à qui le docteur présenta Tarrou.

« Un ami, dit-il.

— Oh! fit Mme Rieux, je suis très contente de vous
connaître. »

Quand elle partit, Tarrou se retourna encore sur elle (**27**).
Sur le palier, le docteur essaya en vain de faire fonctionner
la minuterie. Les escaliers restaient plongés dans la nuit.
Le docteur se demandait si c'était l'effet d'une nouvelle
mesure d'économie. Mais on ne pouvait pas savoir. Depuis
quelque temps déjà, dans les maisons et dans la ville, tout
se détraquait. C'était peut-être simplement que les
concierges, et nos concitoyens en général, ne prenaient
plus soin de rien. Mais le docteur n'eut pas le temps de
s'interroger plus avant, car la voix de Tarrou résonnait
derrière lui.

« Encore un mot, Docteur, même s'il vous paraît ridicule :
vous avez tout à fait raison. »

Rieux haussa les épaules pour lui-même, dans le noir.

« Je n'en sais rien, vraiment. Mais vous, qu'en savez-vous ?

— Oh! dit l'autre sans s'émouvoir, j'ai peu de choses à
apprendre. »

Le docteur s'arrêta et le pied de Tarrou, derrière lui,
glissa sur une marche. Tarrou se rattrapa en prenant l'épaule
de Rieux.

« Croyez-vous tout connaître de la vie ? » demanda celui-ci.

La réponse vint dans le noir, portée par la même voix
tranquille.

« Oui ».

Quand ils débouchèrent dans la rue, ils comprirent qu'il
était assez tard, onze heures peut-être. La ville était muette,
peuplée seulement de frôlements. Très loin, le timbre
d'une ambulance résonna. Ils montèrent dans la voiture
et Rieux mit le moteur en marche.

« Il faudra, dit-il, que vous veniez demain à l'hôpital
pour le vaccin préventif. Mais, pour en finir et avant
d'entrer dans cette histoire, dites-vous que vous avez
une chance sur trois d'en sortir.

─────── **QUESTIONS** ───────

27. Que pensez-vous de l'attitude de Tarrou à l'égard de la
mère de Rieux ?

— Ces évaluations n'ont pas de sens, Docteur, vous le savez comme moi. Il y a cent ans, une épidémie de peste a tué tous les habitants d'une ville de Perse, sauf précisément le laveur des morts qui n'avait jamais cessé d'exercer son métier[1].

— Il a gardé sa troisième chance, voilà tout, dit Rieux d'une voix soudain plus sourde. Mais il est vrai que nous avons encore tout à apprendre à ce sujet. »

Ils entraient maintenant dans les faubourgs. Les phares brillaient dans les rues désertes. Ils s'arrêtèrent. Devant l'auto, Rieux demanda à Tarrou s'il voulait entrer et l'autre dit que oui. Un reflet du ciel éclairait leurs visages. Rieux eut soudain un rire d'amitié :

« Allons, Tarrou, dit-il, qu'est-ce qui vous pousse à vous occuper de cela ?

— Je ne sais pas. Ma morale peut-être.

— Et laquelle ?

— La compréhension (28). »

Tarrou se tourna vers la maison et Rieux ne vit plus son visage jusqu'au moment où ils furent chez le vieil asthmatique (29).

***

[Les équipes animées par Tarrou se mettent aussitôt au travail. Grand, mû par sa générosité naturelle autant que par la reconnaissance qu'il voue au docteur, assure, sans renoncer à ses chères activités, le secrétariat du service.]

Quelquefois, le soir, quand le travail des fiches était terminé, Rieux parlait avec Grand. Ils avaient fini par

---

1. La mémoire de Tarrou n'est pas très fidèle : l'épisode a eu pour théâtre deux *villages* du Kurdistan en 1871. Cf. Proust, *la Défense de l'Europe...* (p. 91.)

──────── **QUESTIONS** ────────

28. Les leçons de la misère et la morale de la compréhension. Confrontez, puis distinguez ces deux thèmes. De Rieux ou de Tarrou, quel personnage est le plus proche de Camus ?

29. Notez les jeux de scène et les jeux de lumière. Quel est leur intérêt psychologique ? Leur intérêt dramatique ?

mêler Tarrou à leur conversation et Grand se confiait avec un plaisir de plus en plus évident à ses deux compagnons. Ces derniers suivaient avec intérêt le travail patient que Grand continuait au milieu de la peste. Eux aussi, finalement, y trouvaient une sorte de détente.

« Comment va l'amazone ? » demandait souvent Tarrou. Et Grand répondait invariablement : « Elle trotte, elle trotte », avec un sourire difficile. Un soir, Grand dit qu'il avait définitivement abandonné l'adjectif « élégante » pour son amazone et qu'il la qualifiait désormais de « svelte ». « C'est plus concret », avait-il ajouté. Une autre fois, il lut à ses deux auditeurs la première phrase ainsi modifiée : « Par une belle matinée de mai, une svelte amazone, montée sur une superbe jument alezane, parcourait les allées fleuries du Bois de Boulogne. »

« N'est-ce pas, dit Grand, on la voit mieux et j'ai préféré : « Par une matinée de mai », parce que « mois de mai » allongeait un peu le trot. »

Il se montra ensuite fort préoccupé par l'adjectif « superbe ». Cela ne parlait pas, selon lui, et il cherchait le terme qui photographierait d'un seul coup la fastueuse jument qu'il imaginait. « Grasse » n'allait pas, c'était concret, mais un peu péjoratif. « Reluisante » l'avait tenté un moment, mais le rythme ne s'y prêtait pas. Un soir, il annonça triomphalement qu'il avait trouvé : « Une noire jument alezane. » Le noir indiquait discrètement l'élégance, toujours selon lui.

« Ce n'est pas possible, dit Rieux.

— Et pourquoi ?

— Alezane n'indique pas la race, mais la couleur.

— Quelle couleur ?

— Eh bien, une couleur qui n'est pas le noir, en tout cas ! »

Grand parut très affecté.

« Merci, disait-il, vous êtes là, heureusement. Mais vous voyez comme c'est difficile.

— Que penseriez-vous de « somptueuse » ? dit Tarrou.

Grand le regarda. Il réfléchissait :

« Oui, dit-il, oui ! »

Et un sourire lui venait peu à peu.

A quelque temps de là, il avoua que le mot « fleuries » l'embarrassait. Comme il n'avait jamais connu qu'Oran

et Montélimar[1], il demandait quelquefois à ses amis des indications sur la façon dont les allées du Bois étaient fleuries.
A proprement parler, elles n'avaient jamais donné l'impression de l'être à Rieux ou à Tarrou, mais la conviction de
l'employé les ébranlait. Il s'étonnait de leur incertitude.
« Il n'y a que les artistes qui sachent regarder. » Mais le
docteur le trouva une fois dans une grande excitation. Il
avait remplacé « fleuries » par « pleines de fleurs ». Il se
frottait les mains. « Enfin, on les voit, on les sent. Chapeau
bas, Messieurs! » Il lut triomphalement la phrase : « Par
une belle matinée de mai, une svelte amazone montée sur
une somptueuse jument alezane parcourait les allées pleines
de fleurs du Bois de Boulogne. » Mais, lus à haute voix,
les trois génitifs[2] qui terminaient la phrase résonnèrent
fâcheusement et Grand bégaya un peu. Il s'assit, l'air
accablé. Puis il demanda au docteur la permission de partir.
Il avait besoin de réfléchir un peu (30).

C'est à cette époque, on l'apprit par la suite, qu'il donna
au bureau des signes de distraction qui furent jugés regret-
tables à un moment où la mairie devait faire face, avec un
personnel diminué, à des obligations écrasantes. Son service en souffrit et le chef de bureau le lui reprocha sévère-
ment en lui rappelant qu'il était payé pour accomplir un
travail que, précisément, il n'accomplissait pas[3]. « Il paraît,
avait dit le chef de bureau, que vous faites du service volon-
taire dans les formations sanitaires, en dehors de votre
travail. Ça ne me regarde pas. Mais ce qui me regarde, c'est

---

1. Montélimar, où il est né, il y a près de cinquante ans. Oran, où il habite
depuis vingt-deux ans; 2. *Génitif :* dans les déclinaisons, cas qui indique la
possession ou la dépendance et qui est marqué en général en français par la
préposition *de.* Sur les trois compléments qui figurent dans la phrase de Grand,
il n'y a, à proprement parler, que deux génitifs; 3. Grand a toujours été
ponctuel et consciencieux, en dépit de la situation modeste dans laquelle
l'administration l'a confiné.

QUESTIONS

30. Comparez les soucis de style de Monsieur Jourdain (*le
Bourgeois gentilhomme*, II, 4) et ceux de Grand.

— Comparez la recherche de l'expression adéquate chez le docteur Cottard (dans *A la recherche du temps perdu*, de Proust) et
chez Grand.

— Comparez, d'une manière générale, le comportement de
l' « autodidacte » (dans *la Nausée*, de J.-P. Sartre) et celui de Grand.

votre travail. Et la première façon de vous rendre utile dans ces terribles circonstances, c'est de bien faire votre travail. Ou sinon, le reste ne sert à rien. »

« Il a raison, dit Grand à Rieux.

— Oui, il a raison, approuva le docteur (**31**).

— Mais je suis distrait et je ne sais pas comment sortir de la fin de ma phrase. »

Il avait pensé à supprimer « de Boulogne », estimant que tout le monde comprendrait. Mais alors la phrase avait l'air de rattacher à « fleurs » ce qui, en fait, se reliait à « allées ». Il avait envisagé aussi la possibilité d'écrire : « Les allées du Bois pleines de fleurs. » Mais la situation de « Bois » entre un substantif et un qualificatif qu'il séparait arbitrairement lui était une épine dans la chair. Certains soirs, il est bien vrai qu'il avait l'air encore plus fatigué que Rieux (**32**).

Oui, il était fatigué par cette recherche qui l'absorbait tout entier, mais il n'en continuait pas moins à faire les additions et les statistiques dont avaient besoin les formations sanitaires. Patiemment, tous les soirs, il mettait des fiches au clair, il les accompagnait de courbes et il s'évertuait lentement[1] à présenter des états aussi précis que possible. Assez souvent, il allait rejoindre Rieux dans l'un des hôpitaux et lui demandait une table dans quelque bureau ou infirmerie. Il s'y installait avec ses papiers, exactement comme il s'installait à sa table de la mairie, et dans l'air épaissi par les désinfectants et par la maladie elle-même, il agitait ses feuilles pour en faire sécher l'encre. Il essayait honnêtement alors de ne plus penser à son amazone et de faire seulement ce qu'il fallait (**33**).

---

1. Cf. la maxime attribuée à Auguste (Suétone, *Vie des douze Césars*, « Auguste », 25), et reprise par Boileau (*l'Art poétique*, I, v. 171 : « Hâtez-vous lentement »). C'est l'attitude que La Fontaine prête à la tortue : « Elle s'évertue, elle se hâte avec lenteur. » (VI, 10.)

━━━━━ **QUESTIONS** ━━━━━

31. Grand et Rieux ont-ils les mêmes motifs d'approuver les propos du chef de bureau ?

32. Que valent, à votre avis, les corrections apportées au texte initial : *a)* depuis le précédent extrait (cf. p. 68) ; *b)* dans le présent passage ?

33. Précisez la nature de la sympathie dont Camus entoure Grand, en dépit de son idée fixe ?

Oui, s'il est vrai que les hommes tiennent à se proposer des exemples et des modèles qu'ils appellent héros, et s'il faut absolument qu'il y en ait un dans cette histoire, le narrateur propose justement ce héros insignifiant et effacé qui n'avait pour lui qu'un peu de bonté au cœur et un idéal apparemment ridicule. Cela donnera à la vérité ce qui lui revient, à l'addition de deux et deux son total de quatre, et à l'héroïsme la place secondaire qui doit être la sienne, juste après, et jamais avant, l'exigence généreuse du bonheur [...] (**34**).

**

[Toute autre voie s'étant révélée impraticable, Rambert cherche un moyen clandestin de quitter la ville. Il erre de rendez-vous en rendez-vous, parcourant de mystérieuses filières, et échouant amèrement quand il croit toucher au but[1].

Il s'est confié à Rieux et à Tarrou. Leur présence exerce sur lui une influence tonique. Lorsque, au plus vif de ses déceptions, il leur fixe rendez-vous, ils se rendent avec sollicitude à son appel.]

Le soir, quand les deux hommes pénétrèrent dans la chambre de Rambert, celui-ci était étendu. Il se leva, emplit des verres qu'il avait préparés. Rieux, prenant le sien, lui demanda si c'était en bonne voie. Le journaliste dit qu'il avait fait à nouveau un tour complet, qu'il était arrivé au même point et qu'il aurait bientôt son dernier rendez-vous. Il but et ajouta :

« Naturellement, ils[2] ne viendront pas.

— Il ne faut pas en faire un principe, dit Tarrou.

— Vous n'avez pas encore compris, répondit Rambert, en haussant les épaules.

---

1. A la manière du héros de Kafka dans *le Château*; **2.** Les intermédiaires qui doivent le conduire aux gardes qui lui feront franchir les portes. Mais, dans son accablement, Rambert généralise.

--- **QUESTIONS** ---

34. Appel de l'héroïsme, appel du bonheur. Pourquoi Rieux obéit-il au premier, alors que le « narrateur » exalte le second ?

— Quoi donc?

— La peste.

— Ah! fit Rieux.

— Non, vous n'avez pas compris que ça consiste à recommencer. »

Rambert alla dans un coin de sa chambre et ouvrit un petit phonographe.

« Quel est ce disque? demanda Tarrou. Je le connais. »

Rambert répondit que c'était *Saint James Infirmary*[1].

Au milieu du disque, on entendit deux coups de feu claquer au loin.

« Un chien ou une évasion », dit Tarrou.

Un moment après, le disque s'acheva et l'appel d'une ambulance se précisa, grandit, passa sous les fenêtres de la chambre d'hôtel, diminua, puis s'éteignit enfin.

« Ce disque n'est pas drôle, dit Rambert. Et puis cela fait bien dix fois que je l'entends aujourd'hui.

— Vous l'aimez tant que cela?

— Non, mais je n'ai que celui-là. »

Et après un moment :

« Je vous dis que ça consiste à recommencer (35). »

Il demanda à Rieux comment marchaient les formations. Il y avait cinq équipes au travail. On espérait en former d'autres. Le journaliste s'était assis sur son lit et paraissait préoccupé par ses ongles. Rieux examinait sa silhouette courte et puissante, ramassée sur le bord du lit. Il s'aperçut tout d'un coup que Rambert le regardait.

« Vous savez, Docteur, dit-il, j'ai beaucoup pensé à votre organisation. Si je ne suis pas avec vous, c'est que j'ai mes raisons. Pour le reste, je crois que je saurais encore payer de ma personne, j'ai fait la guerre d'Espagne[2].

1. Un des plus grands succès du trompettiste noir Lewis Armstrong. Le rythme lent et les sonorités sourdes rendent ce « blues » particulièrement poignant (1928). C'était déjà cet air qu'on entendait au bar de l'hôtel, lors d'une précédente rencontre entre les trois personnages; 2. La République espagnole, proclamée en 1931, succomba à un pronunciamiento militaire après une guerre civile qui dura près de trois ans (juillet 1936-mars 1939). Engagé dans les troupes républicaines, André Malraux a admirablement évoqué leurs luttes dans un film et dans un livre intitulés *l'Espoir* (1937).

——— QUESTIONS ———

35. Expliquez cette phrase. La leçon que Rambert prétend donner à ses interlocuteurs est-elle nouvelle pour eux?

— De quel côté? demanda Tarrou.

— Du côté des vaincus[1]. Mais depuis, j'ai un peu réfléchi.

— A quoi? fit Tarrou.

— Au courage. Maintenant je sais que l'homme est capable de grandes actions. Mais s'il n'est pas capable d'un grand sentiment, il ne m'intéresse pas.

— On a l'impression qu'il est capable de tout, dit Tarrou.

— Mais non, il est incapable de souffrir ou d'être heureux longtemps. Il n'est donc capable de rien qui vaille. »

Il les regardait, et puis :

« Voyons, Tarrou, êtes-vous capable de mourir pour un amour?

— Je ne sais pas, mais il me semble que non, maintenant.

— Voilà. Et vous êtes capable de mourir pour une idée, c'est visible à l'œil nu. Eh bien, moi, j'en ai assez des gens qui meurent pour une idée. Je ne crois pas à l'héroïsme, je sais que c'est facile et j'ai appris que c'était meurtrier. Ce qui m'intéresse, c'est qu'on vive et qu'on meure de ce qu'on aime. »

Rieux avait écouté le journaliste avec attention. Sans cesser de le regarder, il dit avec douceur :

« L'homme n'est pas une idée, Rambert. »

L'autre sautait de son lit, le visage enflammé de passion.

« C'est une idée, et une idée courte, à partir du moment où il se détourne de l'amour. Et justement, nous ne sommes plus capables d'amour. Résignons-nous, Docteur. Attendons de le devenir et si vraiment ce n'est pas possible, attendons la délivrance générale sans jouer au héros. Moi, je ne vais pas plus loin. »

Rieux se leva, avec un air de soudaine lassitude.

« Vous avez raison, Rambert, tout à fait raison, et pour rien au monde je ne voudrais vous détourner de ce que vous allez faire, qui me paraît juste et bon. Mais il faut cependant que je vous le dise : il ne s'agit pas d'héroïsme dans tout cela. Il s'agit d'honnêteté. C'est une idée qui peut faire

---

1. C'est de ce côté aussi que Tarrou a combattu. Voyez sa confession, p. 109. Depuis la création de *Révolte dans les Asturies* jusqu'à sa démission de la Commission nationale française pour l'U. N. E. S. C. O. après l'admission de l'Espagne franquiste dans l'organisation internationale, Albert Camus a toujours manifesté sa solidarité avec les forces populaires espagnoles. Voir notamment, dans *Actuelles*, « Pourquoi l'Espagne ? » (1948), et, dans *Actuelles II*, « l'Espagne et la culture » (1952).

rire, mais la seule façon de lutter contre la peste, c'est l'honnêteté (**36**).

— Qu'est-ce que l'honnêteté? dit Rambert, d'un air soudain sérieux.

— Je ne sais pas ce qu'elle est en général. Mais dans mon cas, je sais qu'elle consiste à faire mon métier (**37**).

— Ah! dit Rambert, avec rage, je ne sais pas quel est mon métier. Peut-être en effet suis-je dans mon tort en choisissant l'amour. »

Rieux lui fit face :

« Non, dit-il avec force, vous n'êtes pas dans votre tort. »

Rambert les regardait pensivement.

« Vous deux, je suppose que vous n'avez rien à perdre dans tout cela. C'est plus facile d'être du bon côté. »

Rieux vida son verre.

« Allons, dit-il, nous avons à faire. »

Il sortit (**38**).

Tarrou le suivit, mais parut se raviser au moment de sortir, se retourna vers le journaliste et lui dit :

« Savez-vous que la femme de Rieux se trouve dans une maison de santé à quelques centaines de kilomètres d'ici? »

Rambert eut un geste de surprise, mais Tarrou était déjà parti.

A la première heure, le lendemain, Rambert téléphonait au docteur :

« Accepteriez-vous que je travaille avec vous jusqu'à ce que j'aie trouvé le moyen de quitter la ville? »

Il y eut un silence au bout du fil, et puis :

« Oui, Rambert. Je vous remercie (**39**). »

─────── QUESTIONS ───────

36. Rambert oppose aux *grandes actions* les *grands sentiments*. Rieux oppose à l'*héroïsme* l'*honnêteté*. Précisez ces différents points de vue et montrez ce qui sépare, puis ce qui rapproche les deux hommes.

37. Rieux est personnellement fondé à identifier, en temps d'épidémie, devoir civique et conscience professionnelle. Mais Camus ne s'est-il pas donné la part belle en faisant du fléau une maladie et de son héros un médecin?

38. Pourquoi Rieux approuve-t-il l'attitude de Rambert, alors qu'il se refuse à l'aider?

39. Comment s'explique le revirement de Rambert? S'agit-il à proprement parler d'une conversion?

III

[Au gros de l'été, le fléau redouble de violence.]

C'est au milieu de cette année-là que le vent se leva et souffla pendant plusieurs jours dans la cité empestée. Le vent est particulièrement redouté des habitants d'Oran parce qu'il ne rencontre aucun obstacle naturel sur le plateau où elle est construite et qu'il s'engouffre ainsi dans les rues avec toute sa violence. Après ces longs mois où pas une goutte d'eau n'avait rafraîchi la ville, elle s'était couverte d'un enduit gris qui s'écailla sous le souffle du vent. Ce dernier soulevait ainsi des vagues de poussière et de papiers qui battaient les jambes des promeneurs devenus plus rares. On les voyait se hâter par les rues, courbés en avant, un mouchoir ou la main sur la bouche. Le soir, au lieu des rassemblements où l'on tentait de prolonger le plus possible ces jours dont chacun pouvait être le dernier, on rencontrait de petits groupes de gens pressés de rentrer chez eux ou dans des cafés, si bien que pendant quelques jours, au crépuscule qui arrivait bien plus vite à cette époque, les rues étaient désertes et le vent seul y poussait des plaintes continues. De la mer soulevée et toujours invisible montait une odeur d'algues et de sel. Cette ville déserte, blanchie de poussière, saturée d'odeurs marines, toute sonore des cris du vent, gémissait alors comme une île malheureuse (**40**).

Jusqu'ici la peste avait fait beaucoup plus de victimes dans les quartiers extérieurs, plus peuplés et moins confortables, que dans le centre de la ville. Mais elle sembla tout d'un coup se rapprocher et s'installer aussi dans les quartiers d'affaires. Les habitants accusaient le vent de transporter les germes d'infection. « Il brouille les cartes », disait le directeur de l'hôtel[1]. Mais quoi qu'il en fût, les

---

1. Situé sur la place d'Armes, au milieu de la ville, c'est l'hôtel confortable où résident Rambert et Tarrou (cf. p. 56). Le directeur, imbu d'honorabilité commerciale, ne peut admettre que la peste ne respecte pas le prestige de son établissement.

QUESTIONS

---

40. Odeurs, couleurs et bruits dans Oran envahie par la peste : quel est l'intérêt de ces notations ?

quartiers du centre savaient que leur tour était venu en entendant vibrer tout près d'eux, dans la nuit, et de plus en plus fréquemment, le timbre des ambulances qui faisait résonner sous leurs fenêtres l'appel morne et sans passion de la peste.

A l'intérieur même de la ville, on eut l'idée d'isoler certains quartiers particulièrement éprouvés et de n'autoriser à en sortir que les hommes dont les services étaient indispensables. Ceux qui y vivaient jusque-là ne purent s'empêcher de considérer cette mesure comme une brimade spécialement dirigée contre eux, et dans tous les cas, ils pensaient par contraste aux habitants des autres quartiers comme à des hommes libres. Ces derniers, en revanche, dans leurs moments difficiles, trouvaient une consolation à imaginer que d'autres étaient encore moins libres qu'eux. « Il y a toujours plus prisonnier que moi » était la phrase qui résumait alors le seul espoir possible[1]. [...]

C'était ce genre d'évidence ou d'appréhensions, en tout cas, qui entretenait chez nos concitoyens le sentiment de leur exil et de leur séparation[2]. A cet égard, le narrateur sait parfaitement combien il est regrettable de ne pouvoir rien rapporter ici qui soit vraiment spectaculaire, comme par exemple quelque héros réconfortant ou quelque action éclatante, pareils à ceux qu'on trouve dans les vieux récits. C'est que rien n'est moins spectaculaire qu'un fléau et, par leur durée même, les grands malheurs sont monotones[3]. Dans le souvenir de ceux qui les ont vécues, les journées terribles de la peste n'apparaissent pas comme de grandes flammes interminables et cruelles, mais plutôt

---

1. Ce paragraphe évoque le blocus imposé à certains quartiers des villes occupées, notamment pour des motifs de ségrégation raciale. Le ghetto de Varsovie, isolé du reste de la ville par une haute muraille, fut, en 1944, le siège d'un soulèvement cruellement réprimé ; **2.** Sentiment que Rieux éprouve fortement et dont Albert Camus a fait lui-même l'expérience, puisque, de 1942 à la Libération, il a vécu « exilé » et « séparé » des siens ; **3.** Sur l'atmosphère morne de l'Occupation, voir le témoignage d'un résistant, ami d'Albert Camus : « Cette existence, qui a duré quatre ans, je m'en souviens comme d'une succession de jours monotones, que de fréquentes catastrophes ne parvenaient pas à animer [...] Les besognes étaient trop monotones, les déceptions trop quotidiennes pour que cette vie fût exaltante [...] Nous avons été consciencieux, obstinés, et autant que possible méthodiques. Pourtant, l'horreur était souvent à nos côtés, et constamment sa menace [...] C'était triste et lourd, et cela ne semblait pas devoir finir. » (Jean Bloch-Michel, *les Grandes Circonstances* [1949].)

comme un interminable piétinement[1] qui écrasait tout sur son passage (**41**).

Non, la peste n'avait rien à voir avec les grandes images exaltantes qui avaient poursuivi le docteur Rieux au début de l'épidémie[2]. Elle était d'abord une administration prudente et impeccable, au bon fonctionnement[3]. C'est ainsi, soit dit entre parenthèses, que pour ne rien trahir et surtout pour ne pas se trahir lui-même, le narrateur a tendu à l'objectivité. Il n'a presque rien voulu modifier par les effets de l'art, sauf en ce qui concerne les besoins élémentaires d'une relation à peu près cohérente. Et c'est l'objectivité elle-même qui lui commande de dire maintenant que si la grande souffrance de cette époque, la plus générale comme la plus profonde, était la séparation, s'il est indispensable en conscience d'en donner une nouvelle description à ce stade de la peste, il n'en est pas moins vrai que cette souffrance elle-même perdait alors de son pathétique.

Nos concitoyens, ceux du moins qui avaient le plus souffert de cette séparation, s'habituaient-ils à la situation ? Il ne serait pas tout à fait juste de l'affirmer. Il serait plus exact de dire qu'au moral comme au physique, ils souffraient de décharnement[4]. Au début de la peste, ils se souvenaient très bien de l'être qu'ils avaient perdu et ils le regrettaient. Mais s'ils se souvenaient nettement du visage aimé, de son rire, de tel jour dont ils reconnaissaient après coup qu'il avait été heureux, ils imaginaient difficilement ce que l'autre pouvait faire à l'heure même où ils l'évoquaient et dans des lieux désormais si lointains. En somme, à

---

1. Ce piétinement est un leitmotiv de *la Peste*. Dans *l'Etat de siège*, il est traduit par une pantomime du chœur ; **2.** Cf. p. 51 ; **3.** Cf., dans *l'Etat de siège*, la harangue de la Peste à ses administrés : « Si je règne, c'est à ma manière et il serait plus juste de dire que je fonctionne » ; **4.** Sur le sens figuré de cette expression, cf. quelques lignes plus bas : « il avait perdu sa chair », et « ces ombres pouvaient encore devenir plus décharnées ». Mais, au sens propre, les habitants d'Oran, comme toutes les populations occupées, ont vu fondre leur chair sous l'effet des privations et des soucis.

———— QUESTIONS ————

41. Lire, dans *l'Etat de siège* (1948), la harangue de la Peste (première partie). Voir une version antérieure de ce même discours dans les « Archives de la peste » (*Cahiers de la Pléiade*, avril 1947). Rapprochez ces deux textes — inspiration, tonalité et style — du présent extrait.

ce moment-là ils avaient de la mémoire, mais une imagination insuffisante. Au deuxième stade de la peste, ils
perdirent aussi la mémoire. Non qu'ils eussent oublié ce
visage, mais, ce qui revient au même, il avait perdu sa
chair, ils ne l'apercevaient plus à l'intérieur d'eux-mêmes.
Et alors qu'ils avaient tendance à se plaindre, les premières
semaines, de n'avoir plus affaire qu'à des ombres dans les
choses de leur amour, ils s'aperçurent par la suite que ces
ombres pouvaient encore devenir plus décharnées, en
perdant jusqu'aux infimes couleurs que leur gardait le
souvenir. Tout au bout de ce long temps de séparation,
ils n'imaginaient plus cette intimité qui avait été la leur,
ni comment avait pu vivre près d'eux un être sur lequel,
à tout moment, ils pouvaient poser la main.

De ce point de vue, ils étaient entrés dans l'ordre même
de la peste, d'autant plus efficace qu'il était plus médiocre.
Personne, chez nous, n'avait plus de grands sentiments.
Mais tout le monde éprouvait des sentiments monotones.
« Il est temps que cela finisse », disaient nos concitoyens,
parce qu'en période de fléau, il est normal de souhaiter
la fin des souffrances collectives, et parce qu'en fait, ils
souhaitaient que cela finisse. Mais tout cela se disait sans
la flamme ou l'aigre sentiment du début, et seulement avec
les quelques raisons qui nous restaient encore claires, et
qui étaient pauvres. Au grand élan farouche des premières
semaines avait succédé un abattement qu'on aurait eu tort
de prendre pour de la résignation, mais qui n'en était pas
moins une sorte de consentement provisoire.

Nos concitoyens s'étaient mis au pas, ils s'étaient adap-
tés[1], comme on dit, parce qu'il n'y avait pas moyen de faire
autrement. Ils avaient encore, naturellement, l'attitude du
malheur et de la souffrance, mais ils n'en ressentaient plus
la pointe. Du reste, le docteur Rieux, par exemple, considé-
rait que, justement, c'était cela le malheur, et que l'habitude du désespoir est pire que le désespoir lui-même.
Auparavant, les séparés n'étaient pas réellement malheureux, il y avait dans leur souffrance une illumination, qui
venait de s'éteindre. A présent, on les voyait au coin des
rues, dans les cafés ou chez leurs amis, placides et distraits,

---

1. Cf., dans *l'Etat de siège*, la harangue de la Peste : « Moi je règne, c'est
un fait, c'est donc un droit. Mais c'est un droit qu'on ne discute pas : vous
devez vous adapter. »

et l'œil si ennuyé que, grâce à eux, toute la ville ressemblait à une salle d'attente. Pour ceux qui avaient un métier, ils le faisaient à l'allure même de la peste, méticuleusement et sans éclat. Tout le monde était modeste. Pour la première fois, les séparés n'avaient pas de répugnance à parler de l'absent, à prendre le langage de tous, à examiner leur séparation sous le même angle que les statistiques de l'épidémie. Alors que, jusque-là, ils avaient soustrait farouchement leur souffrance au malheur collectif, ils acceptaient maintenant la confusion. Sans mémoire et sans espoir, ils s'installaient dans le présent. A la vérité, tout leur devenait présent. Il faut bien le dire, la peste avait enlevé à tous le pouvoir de l'amour et même de l'amitié. Car l'amour demande un peu d'avenir, et il n'y avait plus pour nous que des instants. [...]

On peut dire pour finir que les séparés n'avaient plus ce curieux privilège qui les préservait au début. Ils avaient perdu l'égoïsme de l'amour, et le bénéfice qu'ils en tiraient. Du moins, maintenant, la situation était claire, le fléau concernait tout le monde[1]. Nous tous, au milieu des détonations qui claquaient aux portes de la ville, des coups de tampon qui scandaient notre vie ou nos décès, au milieu des incendies et des fiches, de la terreur et des formalités[2], promis à une mort ignominieuse, mais enregistrée[3], parmi les fumées épouvantables[4] et les timbres tranquilles des ambulances, nous nous nourrissions du même pain d'exil, attendant sans le savoir la même réunion et la même paix bouleversantes. Notre amour sans doute était toujours là, mais, simplement, il était inutilisable, lourd à porter, inerte en nous, stérile comme le crime ou la condamnation. Il n'était plus qu'une patience sans avenir et une attente butée. Et de ce point de vue, l'attitude de certains de nos concitoyens faisait penser à ces longues queues aux quatre coins de la ville, devant les boutiques d'alimentation.

---

1. Rambert l'avait d'abord nié; cf. p. 54. Mais il sera peu à peu pénétré par cette évidence; cf. p. 90; **2.** Coups de tampon, fiches et formalités sont les signes de l'aliénation de l'individu sous l'empire d'une bureaucratie oppressive. Cf. la parodie tragique d'un tel régime dans *l'Etat de siège*, 2ᵉ partie; **3.** Cf. la harangue de la Peste dans *l'Etat de siège* : « Vous allez apprendre à mourir dans l'ordre [...] Vous serez dans la statistique et vous allez enfin servir à quelque chose »; **4.** Les fumées des fours crématoires, destinés dans *la Peste* à incinérer les corps par mesure d'hygiène. Mais on ne peut manquer de penser également aux fours des camps d'extermination.

C'était la même résignation et la même longanimité[1], à la fois illimitée et sans illusions. Il faudrait seulement élever ce sentiment à une échelle mille fois plus grande en ce qui concerne la séparation, car il s'agissait alors d'une autre faim et qui pouvait tout dévorer.

Dans tous les cas, à supposer qu'on veuille avoir une idée juste de l'état d'esprit où se trouvaient les séparés de notre ville, il faudrait de nouveau évoquer ces éternels soirs dorés et poussiéreux, qui tombaient sur la cité sans arbres, pendant qu'hommes et femmes se déversaient dans toutes les rues. Car, étrangement, ce qui montait alors vers les terrasses encore ensoleillées, en l'absence des bruits de véhicules et de machines qui font d'ordinaire tout le langage des villes, ce n'était qu'une énorme rumeur de pas et de voix sourdes, le douloureux glissement de milliers de semelles rythmé par le sifflement du fléau[2] dans le ciel alourdi, un piétinement interminable et étouffant, enfin, qui remplissait peu à peu toute la ville et qui, soir après soir, donnait sa voix la plus fidèle et la plus morne à l'obstination aveugle qui, dans nos cœurs, remplaçait alors l'amour **(42)**.

IV

[Au début d'octobre, une chance d'évasion s'offre à Rambert. Le jour fixé, il se rend à l'hôpital et demande à Tarrou de le conduire auprès de Rieux.]

Ils suivirent un petit couloir dont les murs étaient peints en vert clair et où flottait une lumière d'aquarium. Juste avant d'arriver à une double porte vitrée, derrière laquelle

---

1. *Longanimité* : endurance aux souffrances et aux offenses ; **2.** A la rumeur paisible d'autrefois a succédé l'inquiétant « fond sonore » d'une présence ennemie. La métaphore du *fléau* appelle l'image visuelle d'une pièce de bois brassant l'air et l'image auditive du crissement strident qui accompagne ce mouvement.

―――― **QUESTIONS** ――――

42. La « phénoménologie de l'exil ». Décrivez chez les amants séparés la progression de l'oubli et la substitution de l'obstination à la tendresse.

on voyait un curieux mouvement d'ombres, Tarrou fit entrer Rambert dans une très petite salle, entièrement tapissée de placards. Il ouvrit l'un deux, tira d'un stérilisateur deux masques de gaze hydrophile, en tendit un à Rambert et l'invita à s'en couvrir. Le journaliste demanda si cela servait à quelque chose et Tarrou répondit que non, mais que cela donnait confiance aux autres[1].

Ils poussèrent la porte vitrée. C'était une immense salle, aux fenêtres hermétiquement closes, malgré la saison. Dans le haut des murs ronronnaient des appareils qui renouvelaient l'air, et leurs hélices courbes brassaient l'air crémeux et surchauffé, au-dessus de deux rangées de lits gris. De tous les côtés montaient des gémissements sourds ou aigus qui ne faisaient qu'une plainte monotone. Des hommes, habillés de blanc, se déplaçaient avec lenteur, dans la lumière cruelle que déversaient les hautes baies garnies de barreaux. Rambert se sentit mal à l'aise dans la terrible chaleur de cette salle et il eut de la peine à reconnaître Rieux, penché au-dessus d'une forme gémissante. Le docteur incisait les aines du malade que deux infirmières, de chaque côté du lit, tenaient écartelé. Quand il se releva, il laissa tomber ses instruments dans le plateau qu'un aide lui tendait et resta un moment immobile, à regarder l'homme qu'on était en train de panser.

« Quoi de nouveau ? dit-il à Tarrou qui s'approchait.

— Paneloux accepte de remplacer Rambert à la maison de quarantaine[2]. Il a déjà beaucoup fait[3]. Il restera la troisième équipe de prospection à regrouper sans Rambert[4]. »

Rieux approuva de la tête.

« Castel a achevé ses premières préparations. Il propose un essai[5].

— Ah ! dit Rieux, cela est bien.

---

1. Dans *l'Etat de siège*, les habitants de Cadix portent dans la bouche, par ordre de la Peste, un tampon imbibé de vinaigre, destiné en principe à les protéger du mal, mais avant tout à les entraîner à la discrétion ; 2. L'hôtel où logeaient Rambert et Tarrou (cf. p. 56 et p. 82) a été transformé en résidence temporaire pour l'entourage des malades. Rambert a pris la direction de ce centre en même temps que la responsabilité d'une équipe itinérante ; 3. Le recrutement, assez inattendu, de Paneloux a été l'œuvre personnelle de Tarrou ; 4. Une partie des équipes est chargée de l'assistance préventive dans les quartiers populeux. Il s'agit notamment de détecter les locaux non encore désinfectés et de faire procéder aux opérations de prophylaxie ; 5. Le docteur Castel s'est attaché à produire un sérum à partir des cultures du microbe qui infeste la ville, dans l'espoir d'opposer à la maladie un remède spécifique.

— Enfin, il y a Rambert. »

Rieux se retourna. Par-dessus le masque, ses yeux se plissèrent en apercevant le journaliste.

« Que faites-vous ici? dit-il. Vous devriez être ailleurs. »

Tarrou dit que c'était pour ce soir à minuit et Rambert ajouta : « En principe. »

Chaque fois que l'un d'eux parlait, le masque de gaze se gonflait et s'humidifiait à l'endroit de la bouche. Cela faisait une conversation un peu irréelle, comme un dialogue de statues.

« Je voudrais vous parler, dit Rambert.

— Nous sortirons ensemble, si vous le voulez bien. Attendez-moi dans le bureau de Tarrou. »

Un moment après, Rambert et Rieux s'installaient à l'arrière de la voiture du docteur. Tarrou conduisait.

« Plus d'essence, dit celui-ci en démarrant. Demain, nous irons à pied.

— Docteur, dit Rambert, je ne pars pas et je veux rester avec vous. »

Tarrou ne broncha pas. Il continuait de conduire. Rieux semblait incapable d'émerger de sa fatigue.

« Et elle[1]? » dit-il d'une voix sourde.

Rambert dit qu'il avait encore réfléchi, qu'il continuait à croire ce qu'il croyait[2], mais que s'il partait, il aurait honte. Cela le gênerait pour aimer celle qu'il avait laissée. Mais Rieux se redressa et dit d'une voix ferme que cela était stupide et qu'il n'y avait pas de honte à préférer le bonheur[3].

« Oui, dit Rambert, mais il peut y avoir de la honte à être heureux tout seul. »

Tarrou, qui s'était tu jusque-là, sans tourner la tête vers eux, fit remarquer que si Rambert voulait partager le malheur des hommes, il n'aurait plus jamais de temps pour le bonheur. Il fallait choisir.

« Ce n'est pas cela, dit Rambert. J'ai toujours pensé que j'étais étranger à cette ville et que je n'avais rien à faire

---

1. *Elle :* la compagne de Rambert, dont il a cruellement souffert d'être séparé; 2. Au cours de deux entretiens précédents, il a exposé au docteur que la vie n'est pas faite pour se consommer dans le sacrifice et que lui, Rambert, ne rougit pas de placer avant tout les joies de l'amour. Cf. p. 53 et p. 80; 3. Rieux a plus d'une fois surpris Rambert par cette affirmation, qui est chez lui l'expression d'une conviction profonde.

avec vous. Mais maintenant que j'ai vu ce que j'ai vu, je sais que je suis d'ici, que je le veuille ou non. Cette histoire nous concerne tous[1]. »

Personne ne répondit et Rambert parut s'impatienter.

« Vous le savez bien d'ailleurs! Ou sinon que feriez-vous dans cet hôpital? Avez-vous donc choisi, vous, et renoncé au bonheur? »

Ni Tarrou ni Rieux ne répondirent encore (**43**). Le silence dura longtemps, jusqu'à ce qu'on approchât de la maison du docteur. Et Rambert, de nouveau, posa sa dernière question, avec plus de force encore. Et seul Rieux se tourna vers lui. Il se souleva avec effort :

« Pardonnez-moi, Rambert, dit-il, mais je ne le sais pas. Restez avec nous puisque vous le désirez. »

Une embardée de l'auto le fit taire. Puis il reprit en regardant devant lui :

« Rien au monde ne vaut qu'on se détourne de ce qu'on aime. Et pourtant je m'en détourne, moi aussi, sans que je puisse savoir pourquoi. »

Il se laissa retomber sur son coussin.

« C'est un fait, voilà tout, dit-il avec lassitude. Enregistrons-le et tirons-en les conséquences.

— Quelles conséquences? demanda Rambert.

— Ah! dit Rieux, on ne peut pas en même temps guérir et savoir. Alors guérissons le plus vite possible. C'est le plus pressé (**44**). »

A minuit, Tarrou et Rieux faisaient à Rambert le plan du quartier qu'il était charger de prospecter, quand Tarrou regarda sa montre. Relevant la tête, il rencontra le regard de Rambert.

« Avez-vous prévenu? »

Le journaliste détourna les yeux :

_____

1. Rambert reprend mot pour mot les formules que Rieux lui avait opposées. Cf. p. 54.

━━━━━━ **QUESTIONS** ━━━━━━

43. L'attitude de Tarrou : ses propos, ses gestes, ses silences.

44. L'attitude de Rieux : analysez le contraste entre sa générosité de pensée et sa fermeté d'action.

« J'avais envoyé un mot, dit-il avec effort, avant d'aller vous voir (**45**). »

***

[Dans les derniers jours du mois, le fils du juge Othon est gravement atteint. Rieux, après avoir pratiqué sans succès les interventions classiques, décide d'essayer le sérum du docteur Castel, qui est son dernier espoir.

Au matin, le lendemain de l'inoculation, les deux médecins et Tarrou, puis Paneloux, Grand et Rambert, se retrouvent au chevet du petit garçon pour juger de cette expérience décisive.]

Le docteur serrait avec force la barre du lit où gémissait l'enfant. Il ne quittait pas des yeux le petit malade qui se raidit brusquement et, les dents de nouveau serrées, se creusa un peu au niveau de la taille, écartant lentement les bras et les jambes. Du petit corps, nu sous la couverture militaire[1], montait une odeur de laine et d'aigre sueur. L'enfant se détendit peu à peu, ramena bras et jambes vers le centre du lit et, toujours aveugle et muet, parut respirer plus vite. Rieux rencontra le regard de Tarrou, qui détourna les yeux.

Ils avaient déjà vu mourir des enfants puisque la terreur, depuis des mois, ne choisissait pas, mais ils n'avaient jamais encore suivi leurs souffrances minute après minute, comme ils le faisaient depuis le matin. Et, bien entendu, la douleur infligée à ces innocents n'avait jamais cessé de leur paraître ce qu'elle était en vérité, c'est-à-dire un scandale. Mais jusque-là du moins, ils se scandalisaient abstraitement[2], en quelque sorte, parce qu'ils n'avaient jamais regardé en face, si longuement, l'agonie d'un innocent.

---

1. La scène se passe dans un hôpital auxiliaire installé dans une école avec du matériel prêté par l'armée ; **2.** *Abstraitement :* en ne retenant de la réalité que les caractères qui permettent d'en concevoir une idée générale, alors que les deux hommes en font maintenant l'expérience immédiate et intégrale. Sur la fatalité de l'abstraction, qui marque à la fois la nature du fléau et celle de la lutte contre le fléau, cf. p. 56.

--- **QUESTIONS** ---

45. L'attitude de Rambert : l'attirance du bonheur et le refus de l'égoïsme. Sa résolution finale est-elle pour nous une complète surprise ?

Justement l'enfant, comme mordu à l'estomac, se pliait à nouveau, avec un gémissement grêle. Il resta creusé ainsi pendant de longues secondes, secoué de frissons et de tremblements convulsifs, comme si sa frêle carcasse pliait sous le vent furieux de la peste et craquait sous les souffles répétés de la fièvre. La bourrasque passée, il se détendit un peu, la fièvre sembla se retirer et l'abandonner, haletant, sur une grève humide et empoisonnée où le repos ressemblait déjà à la mort. Quand le flot brûlant l'atteignit à nouveau pour la troisième fois et le souleva un peu, l'enfant se recroquevilla, recula au fond du lit dans l'épouvante de la flamme qui le brûlait et agita follement la tête, en rejetant sa couverture. De grosses larmes, jaillissant sous les paupières enflammées, se mirent à couler sur son visage plombé, et, au bout de la crise, épuisé, crispant ses jambes osseuses et ses bras dont la chair avait fondu en quarante-huit heures, l'enfant prit dans le lit dévasté une pose de crucifié grotesque[1].

Tarrou se pencha et, de sa lourde main, essuya le petit visage trempé de larmes et de sueur. Depuis un moment, Castel avait fermé son livre et regardait le malade[2]. Il commença une phrase, mais fut obligé de tousser pour pouvoir la terminer, parce que sa voix détonnait brusquement :

« Il n'y a pas eu de rémission matinale[3], n'est-ce pas Rieux ? »

Rieux dit que non, mais que l'enfant résistait depuis plus longtemps qu'il n'était normal. Paneloux, qui semblait un peu affaissé contre le mur, dit alors sourdement :

« S'il doit mourir, il aura souffert plus longtemps. »

Rieux se retourna brusquement vers lui et ouvrit la bouche pour parler, mais il se tut, fit un effort visible pour se dominer, et ramena son regard sur l'enfant.

---

1. Cette attitude caractéristique du malade atteint de bubons est représentée dans les notes de Camus par un croquis tracé d'après les indications du manuel Bezançon-Philibert (*Pathologie médicale*, t. Ier). Mais le terme de « crucifié » a une résonance particulière…; 2. Le docteur Castel, comme Tarrou, veille l'enfant depuis quatre heures du matin. Lorsque Rieux est arrivé, il lisait un vieil ouvrage avec — dit le « narrateur » — toutes les apparences de la tranquillité; 3. *Rémission matinale :* atténuation momentanée de la température et de la souffrance après l'agitation nocturne. Un des symptômes qui montrent que la maladie entre dans une phase décisive, le plus souvent fatale.

La lumière s'enflait dans la salle. Sur les cinq autres lits, des formes remuaient et gémissaient, mais avec une discrétion qui semblait concertée. Le seul qui criât, à l'autre bout de la salle, poussait à intervalles réguliers de petites exclamations qui paraissaient traduire plus d'étonnement que de douleur. Il semblait que, même pour les malades, ce ne fût pas l'effroi du début. Il y avait même, maintenant, une sorte de consentement dans leur manière de prendre la maladie. Seul, l'enfant se débattait de toutes ses forces. Rieux, qui, de temps en temps, lui prenait le pouls, sans nécessité d'ailleurs et plutôt pour sortir de l'immobilité impuissante où il était, sentait, en fermant les yeux, cette agitation se mêler au tumulte de son propre sang. Il se confondait alors avec l'enfant supplicié et tentait de le soutenir de toute sa force encore intacte. Mais une minute réunies, les pulsations de leurs deux corps se désaccordaient, l'enfant lui échappait, et son effort sombrait dans le vide. Il lâchait alors le mince poignet et retournait à sa place.

Le long des murs peints à la chaux, la lumière passait du rose au jaune. Derrière la vitre, une matinée de chaleur commençait à crépiter. C'est à peine si on entendit Grand partir en disant qu'il reviendrait. Tous attendaient. L'enfant, les yeux toujours fermés, semblait se calmer un peu. Les mains, devenues comme des griffes, labouraient doucement les flancs du lit. Elles remontèrent, grattèrent la couverture près des genoux, et, soudain, l'enfant plia ses jambes, ramena ses cuisses près du ventre et s'immobilisa. Il ouvrit alors les yeux pour la première fois et regarda Rieux qui se trouvait devant lui. Au creux de son visage maintenant figé dans une argile grise, la bouche s'ouvrit et, presque aussitôt, il en sortit un seul cri continu, que la respiration nuançait à peine, et qui emplit soudain la salle d'une protestation monotone, discorde[1], et si peu humaine qu'elle semblait venir de tous les hommes à la fois. Rieux serrait les dents et Tarrou se détourna. Rambert s'approcha du lit près de Castel qui ferma le livre, resté ouvert sur ses genoux. Paneloux regarda cette bouche enfantine, souillée par la maladie, pleine de ce cri de tous les âges.

---

1. *Discord* : terme de musique; adjectiv., se dit d'un instrument qui n'est pas accordé ou d'un son qui fait fausse note.

Et il se laissa glisser à genoux et tout le monde trouva naturel de l'entendre dire, d'une voix un peu étouffée, mais distincte derrière la plainte anonyme qui n'arrêtait pas : « Mon Dieu, sauvez cet enfant[1] (**46**). »

Mais l'enfant continuait de crier, et tout autour de lui, les malades s'agitèrent. Celui dont les exclamations n'avaient pas cessé, à l'autre bout de la pièce, précipita le rythme de sa plainte jusqu'à en faire, lui aussi, un vrai cri, pendant que les autres gémissaient de plus en plus fort. Une marée de sanglots déferla sur la salle, couvrant la prière de Paneloux, et Rieux, accroché à sa barre de lit, ferma les yeux, ivre de fatigue et de dégoût.

Quand il les rouvrit, il trouva Tarrou près de lui.

« Il faut que je m'en aille, dit Rieux. Je ne peux plus les supporter. »

Mais brusquement, les autres malades se turent. Le docteur reconnut alors que le cri de l'enfant avait faibli, qu'il faiblissait encore et qu'il venait de s'arrêter. Autour de lui, les plaintes reprenaient, mais sourdement, et comme un écho lointain de cette lutte qui venait de s'achever. Car elle s'était achevée. Castel était passé de l'autre côté du lit et dit que c'était fini. La bouche ouverte, mais muette, l'enfant reposait au creux des couvertures en désordre, rapetissé tout d'un coup, avec des restes de larmes sur son visage (**47**).

Paneloux s'approcha du lit et fit les gestes de la bénédiction. Puis il ramassa ses robes et sortit par l'allée centrale.

« Faudra-t-il tout recommencer ? » demanda Tarrou à Castel.

Le vieux docteur secouait la tête.

« Peut-être, dit-il avec un sourire crispé. Après tout, il a longtemps résisté. »

---

1. Dans le *Premier Livre des Rois* (XVII, 17-24), Dieu accorde à Élie la vie d'un enfant malade. La prière de Paneloux, elle, restera sans effet.

— **QUESTIONS** —
---

46. Dans le livre de Bernanos *Sous le soleil de Satan* (1926), le curé de Lumbres, Donissan, bouleversé devant le cadavre d'un enfant, appelle de toute sa foi un miracle qui ne vient pas (deuxième partie, chapitre VII, « Classiques Larousse », p. 109). Confrontez l'attitude de Donissan à celle de Paneloux.

47. Le réalisme dans la description de la mort du petit Othon.

Mais Rieux quittait déjà la salle, d'un pas si précipité, et avec un tel air, que lorsqu'il dépassa Paneloux, celui-ci tendit le bras pour le retenir.

« Allons, Docteur », lui dit-il.

Dans le même mouvement emporté, Rieux se retourna et lui jeta avec violence :

« Ah! celui-là, au moins, était innocent, vous le savez bien! » Puis il se détourna et, franchissant les portes de la salle avant Paneloux, il gagna le fond de la cour d'école. Il s'assit sur un banc, entre les petits arbres poudreux, et essuya la sueur qui lui coulait déjà dans les yeux. Il avait envie de crier encore pour dénouer enfin le nœud violent qui lui broyait le cœur. La chaleur tombait lentement entre les branches des ficus. Le ciel bleu du matin se couvrait rapidement d'une taie blanchâtre qui rendait l'air plus étouffant. Rieux se laissa aller sur son banc. Il regardait les branches, le ciel, retrouvant lentement sa respiration, ravalant peu à peu sa fatigue.

« Pourquoi m'avoir parlé avec cette colère? dit une voix derrière lui. Pour moi aussi, ce spectacle était insupportable. »

Rieux se retourna vers Paneloux :

« C'est vrai, dit-il. Pardonnez-moi. Mais la fatigue est une folie. Et il y a des heures dans cette ville où je ne sens plus que ma révolte.

— Je comprends, murmura Paneloux. Cela est révoltant parce que cela passe notre mesure. Mais peut-être devons-nous aimer ce que nous ne pouvons pas comprendre[1]. »

Rieux se redressa d'un seul coup. Il regardait Paneloux, avec toute la force et la passion dont il était capable, et secouait la tête.

« Non, mon Père, dit-il. Je me fais une autre idée de l'amour. Et je refuserai jusqu'à la mort d'aimer cette création où des enfants sont torturés[2]. »

---

1. Ce propos dubitatif traduit ici le trouble de Paneloux. Mais bientôt celui-ci, poussé par son besoin d'absolu, fera de cette soumission un système. Cf. p. 102; 2. Cette obsession a hanté Camus. Dans le domaine moral, le meurtre d'un enfant est pour lui un crime inexpiable : la grandeur du héros des *Justes*, Kaliayev, tient notamment au fait qu'au moment d'exécuter un attentat contre le grand-duc Serge, il s'interdit de lancer la bombe parce qu'il risque d'atteindre le neveu et la nièce du prince. Dans le domaine métaphysique, la mort d'un enfant est un scandale qui empêche Camus de croire à une justice divine et à l'harmonie de la création; cf. dans « l'Incroyant et les chrétiens » : « Je ne partage pas votre espoir et je continue à lutter contre cet univers où des enfants souffrent et meurent. » (*Actuelles*, p. 213.)

Sur le visage de Paneloux, une ombre bouleversée passa.

« Ah! Docteur, fit-il avec tristesse, je viens de comprendre ce qu'on appelle la grâce. »

Mais Rieux s'était laissé aller de nouveau sur son banc. Du fond de sa fatigue revenue, il répondit avec plus de douceur :

« C'est ce que je n'ai pas, je le sais. Mais je ne veux pas discuter cela avec vous. Nous travaillons ensemble pour quelque chose qui nous réunit au-delà des blasphèmes et des prières. Cela est seul important. »

Paneloux s'assit près de Rieux. Il avait l'air ému.

« Oui, dit-il, oui, vous aussi vous travaillez pour le salut de l'homme. »

Rieux essayait de sourire.

« Le salut de l'homme est un trop grand mot pour moi. Je ne vais pas si loin. C'est sa santé qui m'intéresse, sa santé d'abord (**48**). »

Paneloux hésita .

« Docteur », dit-il.

Mais il s'arrêta. Sur son front aussi la sueur commençait à ruisseler. Il murmura : « Au revoir », et ses yeux brillaient quand il se leva. Il allait partir quand Rieux, qui réfléchissait, se leva aussi et fit un pas vers lui.

« Pardonnez-moi encore, dit-il. Cet éclat ne se renouvellera plus. »

Paneloux tendit sa main et dit avec tristesse :

« Et pourtant je ne vous ai pas convaincu!

— Qu'est-ce que cela fait? dit Rieux. Ce que je hais, c'est la mort et le mal, vous le savez bien. Et que vous le vouliez ou non, nous sommes ensemble pour les souffrir et les combattre (**49**). »

Rieux retenait la main de Paneloux.

─────── **QUESTIONS** ───────

48. Les impératifs de la santé et les impératifs du salut. Jusqu'où va entre eux l'antagonisme ?

49. Comparez à l'attitude de Rieux celle de Saint-Exupéry méditant devant un enfant promis à la misère : « C'est quelque chose comme l'espèce humaine et non l'individu qui est blessé ici, qui est lésé [...]. Ce qui me tourmente [...], c'est un peu, dans chacun de ces hommes, Mozart assassiné. » (*Terre des hommes*, 1939, « Classiques Larousse », p. 86).

« Vous voyez, dit-il en évitant de le regarder, Dieu lui-même ne peut maintenant nous séparer. »

⋆
⋆ ⋆

[Le père Paneloux, profondément troublé par le spectacle de cette agonie, ne peut plus voir dans la peste un avertissement opportunément envoyé par le Créateur pour nous rappeler nos devoirs et nous ouvrir le chemin du salut. Non, le martyre d'un innocent est un scandale que l'esprit refuse d'accepter.

Mais n'y a-t-il pas une présomption funeste à douter des desseins de la Providence ? Une seule voie nous est offerte, qui est d'aimer et de vouloir ce que nous ne sommes pas capables de comprendre ni de justifier.

Tel est le thème d'un second sermon, que le Père prononce à la fin d'octobre.]

Le soir du prêche, lorsque Rieux arriva, le vent, qui s'infiltrait en filets d'air par les portes battantes de l'entrée, circulait librement parmi les auditeurs[1]. Et c'est dans une église froide et silencieuse, au milieu d'une assistance exclusivement composée d'hommes[2], qu'il prit place et qu'il vit le Père monter en chaire. Ce dernier parla d'un ton plus doux et plus réfléchi que la première fois et, à plusieurs reprises, les assistants remarquèrent une certaine hésitation dans son débit. Chose curieuse encore, il ne disait plus « vous », mais « nous ».

Cependant, sa voix s'affermit peu à peu. Il commença par rappeler que, depuis de longs mois, la peste était parmi nous et que maintenant que nous la connaissions mieux pour l'avoir vue tant de fois s'asseoir à notre table ou au chevet de ceux que nous aimions, marcher près de nous et attendre notre venue aux lieux de travail, maintenant, donc, nous pourrions peut-être mieux recevoir ce qu'elle nous disait sans relâche et que, dans la première surprise, il était possible que nous n'eussions pas bien écouté. Ce que le père Paneloux avait déjà prêché au même endroit restait vrai — ou du moins c'était sa conviction. Mais, peut-être encore, comme il nous arrivait à tous et il s'en

---

1. Le « narrateur » vient d'indiquer que les superstitions ont pris chez beaucoup d'Oranais la place de la religion et qu'ils sont désormais peu nombreux à fréquenter les offices ; 2. Cette messe est réservée aux hommes.

frappait la poitrine, l'avait-il pensé et dit sans charité. Ce qui restait vrai, cependant, était qu'en toute chose, toujours, il y avait à retenir. L'épreuve la plus cruelle était encore bénéfice pour le chrétien. Et, justement, ce que le chrétien, en l'espèce, devait chercher, c'était son bénéfice, et de quoi le bénéfice était fait, et comment on pouvait le trouver[1].

A ce moment, autour de Rieux, les gens parurent se carrer entre les accoudoirs de leur banc et s'installer aussi confortablement qu'ils le pouvaient. Une des portes capitonnées de l'entrée battit doucement. Quelqu'un se dérangea pour la maintenir. Et Rieux, distrait par cette agitation, entendit à peine Paneloux qui reprenait son prêche. Il disait à peu près qu'il ne fallait pas essayer de s'expliquer le spectacle de la peste, mais tenter d'apprendre ce qu'on pouvait en apprendre. Rieux comprit confusément que, selon le Père, il n'y avait rien à expliquer. Son intérêt se fixa quand Paneloux dit fortement qu'il y avait des choses qu'on pouvait expliquer au regard de Dieu et d'autres qu'on ne pouvait pas. Il y avait certes le bien et le mal, et généralement, on s'expliquait aisément ce qui les séparait. Mais à l'intérieur du mal, la difficulté commençait. Il y avait par exemple le mal apparemment nécessaire, et le mal apparemment inutile. Il y avait don Juan plongé aux enfers[2] et la mort d'un enfant. Car s'il est juste que le libertin soit foudroyé, on ne comprend pas la souffrance de l'enfant. Et, en vérité, il n'y avait rien sur cette terre de plus important que la souffrance d'un enfant et l'horreur que cette souffrance traîne avec elle et les raisons qu'il faut lui trouver. Dans le reste de la vie, Dieu nous facilitait tout et, jusque-là, la religion était sans mérites. Ici, au contraire, il nous mettait au pied du mur. Nous étions ainsi sous les murailles de la peste et c'est à leur ombre mortelle qu'il nous fallait trouver notre bénéfice. Le père Paneloux refusait même de se donner des avantages faciles qui lui permissent d'escalader le mur. Il lui aurait été aisé de dire que l'éternité des délices qui attendaient l'enfant pouvait compenser sa souffrance, mais, en vérité,

---

1. Sur le « bénéfice » que le chrétien peut tirer de telles épreuves, cf. Pascal : *Prière pour demander à Dieu le bon usage des maladies*; 2. L'histoire du blasphémateur foudroyé par la vengeance divine intéresse beaucoup Camus. Il a consacré une étude au donjuanisme dans *le Mythe de Sisyphe*. Peu avant sa mort, il préparait pour le théâtre un *don Juan*.

il n'en savait rien. Qui pouvait affirmer en effet que l'éternité d'une joie pouvait compenser un instant de la douleur humaine ? Ce ne serait pas un chrétien, assurément, dont le Maître a connu la douleur dans ses membres et dans son âme. Non, le Père resterait au pied du mur, fidèle à cet écartèlement dont la croix est le symbole, face à face avec la souffrance d'un enfant. Et il dirait sans crainte à ceux qui l'écoutaient ce jour-là : « Mes frères, l'instant est venu. Il faut tout croire ou tout nier. Et qui donc, parmi vous, oserait tout nier ? »

Rieux eut à peine le temps de penser que le Père côtoyait l'hérésie que l'autre reprenait déjà, avec force, pour affirmer que cette injonction, cette pure exigence, était le bénéfice du chrétien. C'était aussi sa vertu. Le Père savait que ce qu'il y avait d'excessif dans la vertu dont il allait parler choquerait beaucoup d'esprits, habitués à une morale plus indulgente et plus classique. Mais la religion du temps de peste ne pouvait être la religion de tous les jours et si Dieu pouvait admettre, et même désirer, que l'âme se repose et se réjouisse dans les temps de bonheur, il la voulait excessive dans les excès du malheur. Dieu faisait aujourd'hui à ses créatures la faveur de les mettre dans un malheur tel qu'il leur fallait retrouver et assumer la plus grande vertu qui est celle du Tout ou Rien (50).

Un auteur profane, dans le dernier siècle, avait prétendu révéler le secret de l'Église en affirmant qu'il n'y avait pas de Purgatoire[1]. Il sous-entendait par là qu'il n'y avait pas de demi-mesures, qu'il n'y avait que le Paradis

---

1. *Purgatoire* : lieu où les âmes sorties de ce monde sans avoir satisfait à la justice divine expient pendant un temps limité les fautes dont elles se sont rendu coupables. Les hérétiques albigeois et les protestants ont nié l'existence du Purgatoire en raison, notamment, des abus auxquels pouvait conduire le recours aux prières et aux œuvres en faveur des trépassés. Le concile de Trente (1545-1563) l'érigea en dogme. Dans un de ses *Nouveaux Contes cruels*, intitulé « l'Enjeu », Villiers de L'Isle-Adam (1840-1889) met en scène un mystérieux abbé qui mise contre vingt-cinq louis ce qu'il nomme le « secret de l'Église ». Ayant perdu, l'étrange personnage confie à son partenaire ébahi qu' « il n'y a pas de Purgatoire ».

──────── QUESTIONS ────────

50. Sans aller aussi loin que Rieux, ne peut-on se demander si la fréquentation de saint Augustin n'a pas, paradoxalement, entraîné ce jésuite du côté de Port-Royal ?

et l'Enfer et qu'on ne pouvait être que sauvé ou damné, selon ce qu'on avait choisi. C'était, à en croire Paneloux, une hérésie comme il n'en pouvait naître qu'au sein d'une âme libertine. Car il y avait un Purgatoire. Mais il était sans doute des époques où ce Purgatoire ne devait pas être trop espéré, il était des époques où l'on ne pouvait parler de péché véniel. Tout péché était mortel et toute indifférence criminelle. C'était tout ou ce n'était rien.

Paneloux s'arrêta, et Rieux entendit mieux à ce moment, sous les portes, les plaintes du vent qui semblait redoubler au-dehors. Le Père disait au même instant que la vertu d'acceptation totale dont il parlait ne pouvait être comprise au sens restreint qu'on lui donnait d'ordinaire, qu'il ne s'agissait pas de la banale résignation, ni même de la difficile humilité. Il s'agissait d'humiliation, mais d'une humiliation où l'humilié était consentant. Certes, la souffrance d'un enfant était humiliante pour l'esprit et le cœur. Mais c'est pourquoi il fallait y entrer. Mais c'est pourquoi, et Paneloux assura son auditoire que ce qu'il allait dire n'était pas facile à dire, il fallait la vouloir parce que Dieu la voulait. Ainsi seulement le chrétien n'épargnerait rien et, toutes issues fermées, irait au fond du choix essentiel. Il choisirait de tout croire pour ne pas être réduit à tout nier. Et, comme les braves femmes qui, dans les églises en ce moment, ayant appris que les bubons qui se formaient étaient la voie naturelle par où le corps rejetait son infection, disaient : « Mon Dieu, donnez-lui des bubons », le chrétien saurait s'abandonner à la volonté divine, même incompréhensible. On ne pouvait dire : « Cela je le comprends; mais ceci est inacceptable », il fallait sauter au cœur de cet inacceptable qui nous était offert, justement pour que nous fissions notre choix[1]. La souffrance des enfants était notre pain amer, mais sans ce pain, notre âme périrait de sa faim spirituelle.

Ici le remue-ménage assourdi qui accompagnait généralement les pauses du père Paneloux commençait à se faire entendre quand, inopinément, le prédicateur reprit avec force en faisant mine de demander à la place de ses auditeurs quelle était, en somme, la conduite à tenir. Il

---

1. Sur l'acceptation de l'inacceptable, voir (p. 96) l'analyse que *l'Homme révolté* donne de la doctrine de Nietzsche.

s'en doutait bien, on allait prononcer le mot effrayant de fatalisme. Eh bien, il ne reculerait pas devant le terme si on lui permettait seulement d'y joindre l'adjectif « actif[1] » **(51)**. Certes, et encore une fois, il ne fallait pas imiter les chrétiens d'Abyssinie dont il avait parlé[2]. Il ne fallait même pas penser à rejoindre ces pestiférés perses qui lançaient leurs hardes sur les piquets sanitaires chrétiens en invoquant le ciel à haute voix pour le prier de donner la peste à ces infidèles qui voulaient combattre le mal envoyé par Dieu[3]. Mais à l'inverse, il ne fallait pas imiter non plus les moines du Caire qui, dans les épidémies du siècle passé, donnaient la communion en prenant l'hostie avec des pincettes pour éviter le contact de ces bouches humides et chaudes où l'infection pouvait dormir[4]. Les pestiférés perses et les moines péchaient également. Car, pour les premiers, la souffrance d'un enfant ne comptait pas, et pour les seconds, au contraire, la crainte bien humaine de la douleur avait tout envahi. Dans les deux cas, le problème était escamoté. Tous restaient sourds à la voix de Dieu. Mais il était d'autres exemples que Paneloux voulait rappeler. Si on en croyait le chroniqueur de la grande peste de Marseille, sur les quatre-vingt-un religieux du couvent de la Mercy, quatre seulement survécurent à la fièvre. Et sur ces quatre,

---

1. Cf. Nietzsche, *le Crépuscule des idoles*, passage cité dans les *Carnets* (p. 175) : « Un fatalisme heureux et confiant, avec la foi qu'il n'y a de condamnable que ce qui existe isolément, et que, dans l'ensemble, tout se résout et s'affirme. *Il ne nie plus...* » **2.** Cf. p. 64 ; **3.** A. Proust place la scène en Basse-Égypte en 1841 : « Quelques pestiférés, que la maladie n'empêchait pas de sortir et de se tenir debout parmi la foule, parurent leurs chemises en main et s'avançant vers les soldats, ils cherchèrent à les leur jeter en criant : « Fasse le ciel que « la peste que j'ai se communique à toi, et que ces hardes te la donnent, puisque « toi, infidèle, tu t'opposes à ce qui est écrit, et que tu oses combattre un mal « que Dieu nous envoie ! » (*La Défense de l'Europe contre la peste...*, p. 142) ; **4.** Cf. A Proust (p. 142) : « Ailleurs la peur a fait prendre des mesures dérisoires ; témoin ces prêtres-moines du presbytère italien qui, en 1841, au Caire, ont poussé la frayeur jusqu'à saisir avec de petites pincettes l'hostie qu'ils donnaient à des communiants. » Cette précaution est cependant expressément recommandée par Ranchin (*Traité de la peste*, p. 124) et par Papon (*De la peste*, II, p. 65).

— **QUESTIONS** —

51. Distinguez les termes *humilité* et *humiliation*. Quelle est la portée de cette opposition ? Expliquez l'expression *fatalisme actif*. Jusqu'où vont chez Paneloux le *fatalisme* et l'*activisme* ? Comparez l'attitude de Paneloux à celle de l'aumônier dans *l'Étranger*.

trois s'enfuirent[1]. Ainsi parlaient les chroniqueurs, et ce n'était pas leur métier d'en dire plus. Mais en lisant ceci, toute la pensée du père Paneloux allait à celui qui était resté seul, malgré soixante-dix-sept cadavres, et malgré surtout l'exemple de ses trois frères. Et le Père, frappant du poing sur le rebord de la chaire, s'écria : « Mes frères, il faut être celui qui reste ! »

Il ne s'agissait pas de refuser les précautions, l'ordre intelligent qu'une société introduisait dans le désordre d'un fléau. Il ne fallait pas écouter ces moralistes qui disaient qu'il fallait se mettre à genoux et tout abandonner. Il fallait seulement commencer de marcher en avant, dans la ténèbre[2], un peu à l'aveuglette, et essayer de faire du bien. Mais pour le reste, il fallait demeurer, et accepter de s'en remettre à Dieu, même pour la mort des enfants, et sans chercher de recours personnel.

Ici, le père Paneloux évoqua la haute figure de l'évêque Belzunce pendant la peste de Marseille[3]. Il rappela que, vers la fin de l'épidémie, l'évêque ayant fait tout ce qu'il devait faire, croyant qu'il n'était plus de remède, s'enferma avec des vivres dans sa maison qu'il fit murer; que les habitants dont il était l'idole, par un retour de sentiment tel qu'on en trouve dans l'excès des douleurs, se fâchèrent contre lui, entourèrent sa maison de cadavres pour l'infecter et jetèrent même des corps par-dessus les murs, pour le faire périr plus sûrement[4]. Ainsi l'évêque, dans une dernière faiblesse, avait cru s'isoler dans le monde de la mort et les morts lui tombaient du ciel sur la tête. Ainsi

---

1. Cf. Mathieu Marais (2 septembre 1720) et A. Proust (p. 52); **2.** *Ténèbre* : au sens propre, obscurité; au sens figuré, inquiétude. L'emploi de ce mot au singulier ne se rencontre que dans le style poétique; **3.** Henri-François-Xavier de Belzunce (ou de Belsunce) de Castel-Moron (1671-1755), évêque de Marseille à partir de 1709, s'immortalisa par son dévouement pendant l'épidémie qui ravagea la ville de 1720 à 1722. Pope dans l'*Essai sur l'homme*, Voltaire dans l'*Ode sur le fanatisme* et Millevoye dans *Belzunce ou la Peste de Marseille* ont célébré ses vertus. Une peinture murale de Gérome, dans l'église Saint-Séverin, à Paris, représente le prélat réconfortant les pestiférés; **4.** Cf. Mathieu Marais (25 septembre 1720) : « L'évêque, qui a fait merveille jusqu'à présent, voyant qu'il n'y a plus de remède, s'est enfermé avec des vivres dans sa maison qu'il fait murer. Le peuple (qui n'a jamais guère de raison et qui en a encore moins dans cet état de douleur, car la douleur est injuste) s'est fâché contre l'évêque; ils ont entouré sa maison de corps morts pour le faire périr; ils en ont jeté par-dessus les murs, et c'est un siège d'un nouveau genre qu'il est obligé de soutenir. » A. Proust cite ce passage (p. 53). L'évêque, qui avait précédemment justifié l'intervention du fléau, se détermina, par la suite, à implorer la clémence du Seigneur. Cf. Papon (t. II, p. 270 et p. 319).

encore de nous, qui devions nous persuader qu'il n'est pas d'île dans la peste[1]. Non, il n'y avait pas de milieu. Il fallait admettre le scandale parce qu'il nous fallait choisir de haïr Dieu ou de l'aimer. Et qui oserait choisir la haine de Dieu ?

« Mes frères, dit enfin Paneloux en annonçant qu'il concluait, l'amour de Dieu est un amour difficile. Il suppose l'abandon total de soi-même et le dédain de sa personne. Mais lui seul peut effacer la souffrance et la mort des enfants, lui seul en tout cas la rendre nécessaire, parce qu'il est impossible de la comprendre et qu'on ne peut que la vouloir. Voilà la difficile leçon que je voulais partager avec vous. Voilà la foi, cruelle aux yeux des hommes, décisive aux yeux de Dieu, dont il faut se rapprocher. A cette image terrible, il faut que nous nous égalions. Sur ce sommet, tout se confondra et s'égalisera, la vérité jaillira de l'apparente injustice. C'est ainsi que, dans beaucoup d'églises du Midi de la France, des pestiférés dorment depuis des siècles sous les dalles du chœur[2], et des prêtres parlent au-dessus de leurs tombeaux, et l'esprit qu'ils propagent jaillit de cette cendre où des enfants ont pourtant mis leur part (**52**). »

Quand Rieux sortit, un vent violent s'engouffra par la porte entrouverte et assaillit en pleine face les fidèles. Il apportait dans l'église une odeur de pluie, un parfum de trottoir mouillé qui leur laissait deviner l'aspect de la ville avant qu'ils fussent sortis. Devant le docteur Rieux, un vieux prêtre et un jeune diacre[3] qui sortaient à ce moment eurent du mal à retenir leur coiffure. Le plus âgé ne cessa pas pour autant de commenter le prêche. Il rendait hommage à l'éloquence de Paneloux, mais il s'inquiétait des hardiesses de pensée que le Père avait montrées. Il estimait que ce

---

1. Pour comprendre la fascination que cette image a exercée sur Camus, voir *les Iles*, de Jean Grenier ; **2.** Cf. Papon (t. II, p. 285) et Gaffarel-Duranty (p. 170 et p. 186) ; **3.** *Diacre* : clerc qui, en attendant d'être admis à la prêtrise, a reçu le pouvoir de baptiser et de prêcher.

QUESTIONS

52. Circonstances, thème, composition, ton et style — quelles ressemblances, quelles différences relevez-vous entre le premier et le second sermon ? D'où vient cette évolution ?

prêche montrait plus d'inquiétude que de force, et, à l'âge
de Paneloux, un prêtre n'avait pas le droit d'être inquiet.
Le jeune diacre, la tête baissée pour se protéger du vent,
assura qu'il fréquentait beaucoup le Père, qu'il était au
courant de son évolution et que son traité[1] serait beaucoup
plus hardi encore et n'aurait sans doute pas l'*imprimatur*[2].

« Quelle est donc son idée ? » dit le vieux prêtre.

Ils étaient arrivés sur le parvis et le vent les entourait
en hurlant, coupant la parole au plus jeune. Quand il put
parler, il dit seulement :

« Si un prêtre consulte un médecin, il y a contra-
diction. »

⋆
⋆ ⋆

[Quelques jours plus tard, le père Paneloux, frappé à son tour,
sans qu'on sache bien s'il s'agit de la peste, est emporté brutale-
ment après avoir refusé tout secours humain.

Rieux et Tarrou, pour leur part, travaillent avec acharnement.
Un soir de novembre, après la visite que le docteur rend habituel-
lement au vieil asthmatique, les deux hommes montent sur la
terrasse de la maison, d'où ils découvrent la ville et la mer.]

D'un côté[3], aussi loin que la vue pouvait s'étendre, on
n'apercevait que des terrasses qui finissaient par s'adosser
à une masse obscure et pierreuse où ils reconnurent la
première colline. De l'autre côté[4], par-dessus quelques
rues et le port invisible, le regard plongeait sur un horizon
où le ciel et la mer se mêlaient dans une palpitation indistincte. Au-delà de ce qu'ils savaient être les falaises, une
lueur dont ils n'apercevaient pas la source reparaissait
régulièrement : le phare de la passe, depuis le printemps,

---

1. Le père Paneloux a indiqué à Rieux qu'il préparait une étude sur la
question : « Un prêtre peut-il consulter un médecin ? » La tradition et l'Écriture
donnent une réponse affirmative à cette question. Cf. l'Ecclésiastique (XXXVIII) :
« Rends au médecin pour tes besoins les honneurs qui lui sont dus... » Voir
toutefois, sur la protection que le Tout-Puissant accorde au juste qui se
confie à lui, le psaume XCI (3-6) que le *Journal de l'année de la peste* cite
en ces termes : « Il te délivrera des pièges de l'oiseleur et de la peste
maligne, etc. » (trad. Nast, p. 25) ; **2.** *Imprimatur* : permission que doit obtenir
de l'autorité ecclésiastique tout religieux qui se propose de publier un ouvrage
intéressant la doctrine ; **3.** Vers le nord-ouest, dans la direction de la colline de
Santa-Cruz ; **4.** Vers le nord-est, dans la direction des falaises qui surplombent
l'entrée du port.

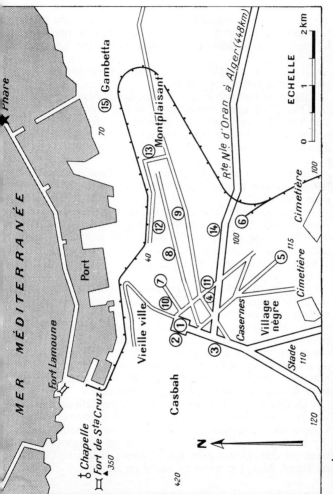

PLAN D'ORAN AU TEMPS DE « LA PESTE » : 1. Place d'Armes; 2. Opéra; 3. B⁴ Joffre; 4. Cathédrale; 5. Hôpital civil; 6. Gare; 7. Lycée; 8. Rue d'Alsace-Lorraine; 9. Rue d'Arzeu; 10. B⁴ Gallieni; 11. B⁴ Clemenceau; 12. B⁴ du Front-de-Mer et monument aux morts; 13. Rue Faidherbe; 14. Rue de Mostaganem; 15. Usine à gaz.

continuait à tourner pour les navires qui se détournaient vers d'autres ports. Dans le ciel balayé et lustré par le vent, des étoiles pures brillaient et la lueur lointaine du phare y mêlait, de moment en moment, une cendre passagère. La brise apportait des odeurs d'épices et de pierre. Le silence était absolu.

« Il fait bon, dit Rieux, en s'asseyant. C'est comme si la peste n'était jamais montée là. »

Tarrou lui tournait le dos et regardait la mer.

« Oui, dit-il après un moment, il fait bon. »

Il vint s'asseoir auprès du docteur et le regarda attentivement. Trois fois, la lueur reparut dans le ciel. Un bruit de vaisselle choquée monta jusqu'à eux des profondeurs de la rue. Une porte claqua dans la maison.

« Rieux, dit Tarrou sur un ton très naturel, vous n'avez jamais cherché à savoir qui j'étais ? Avez-vous de l'amitié pour moi ?

— Oui, répondit le docteur, j'ai de l'amitié pour vous. Mais jusqu'ici le temps nous a manqué.

— Bon, cela me rassure. Voulez-vous que cette heure soit celle de l'amitié[1] ? »

Pour toute réponse, Rieux lui sourit.

« Eh bien, voilà... »

Quelques rues plus loin, une auto sembla glisser longuement sur le pavé mouillé. Elle s'éloigna et, après elle, des exclamations confuses, venues de loin, rompirent encore le silence. Puis il retomba sur les deux hommes avec tout son poids de ciel et d'étoiles. Tarrou s'était levé pour se percher sur le parapet de la terrasse, face à Rieux, toujours tassé au creux de sa chaise. On ne voyait de lui qu'une forme massive[2], découpée dans le ciel. Il parla longtemps et voici à peu près son discours reconstitué :

« Disons pour simplifier, Rieux, que je souffrais déjà de la peste bien avant de connaître cette ville et cette épidémie. C'est assez de dire que je suis comme tout le monde. Mais il y a des gens qui ne le savent pas, ou qui se trouvent bien dans cet état, et des gens qui le savent et qui voudraient en sortir. Moi, j'ai toujours voulu en sortir.

---

1. Cf., dans la préface aux *Poésies posthumes*, la manière dont Albert Camus évoque des tête-à-tête analogues avec René Leynaud : « Dans mon souvenir, ces heures sont restées celles de l'amitié » ; **2.** Comme Leynaud, Tarrou, dont la taille est à peine supérieure à la moyenne, est de carrure athlétique.

« Quand j'étais jeune, je vivais avec l'idée de mon innocence, c'est-à-dire avec pas d'idée du tout. Je n'ai pas le
genre tourmenté, j'ai débuté comme il convenait. Tout
me réussissait, j'étais à l'aise dans l'intelligence, au mieux
avec les femmes, et si j'avais quelques inquiétudes, elles
passaient comme elles étaient venues. Un jour, j'ai commencé
à réfléchir. Maintenant...

« Il faut vous dire que je n'étais pas pauvre comme vous[1].
Mon père était avocat général[2], ce qui est une situation.
Pourtant, il n'en portait pas l'air, étant de naturel bonhomme. Ma mère était simple et effacée[3], je n'ai jamais
cessé de l'aimer, mais je préfère ne pas en parler. Lui
s'occupait de moi avec affection et je crois même qu'il
essayait de me comprendre. Il avait des aventures au-
dehors, j'en suis sûr maintenant, et, aussi bien, je suis loin
de m'en indigner. Il se conduisait en tout cela comme il
fallait attendre qu'il se conduisît, sans choquer personne.
Pour parler bref, il n'était pas très original et, aujourd'hui
qu'il est mort, je me rends compte que s'il n'a pas vécu
comme un saint, il n'a pas été non plus un mauvais homme.
Il tenait le milieu, voilà tout, et c'est le type d'homme pour
lequel on se sent une affection raisonnable, celle qui fait
qu'on continue [...].

« Quand j'ai eu dix-sept ans, en effet, mon père m'a
invité à aller l'écouter. Il s'agissait d'une affaire importante,
en Cour d'assises[4], et, certainement, il avait pensé qu'il
apparaîtrait sous son meilleur jour. Je crois aussi qu'il
comptait sur cette cérémonie, propre à frapper les jeunes
imaginations, pour me pousser à entrer dans la carrière
que lui-même avait choisie. J'avais accepté, parce que
cela faisait plaisir à mon père et parce que, aussi bien,
j'étais curieux de le voir et de l'entendre dans un autre rôle
que celui qu'il jouait parmi nous. Je ne pensais à rien de
plus. Ce qui se passait dans un tribunal m'avait toujours
paru aussi naturel et inévitable qu'une revue de 14 juillet

---

1. Tarrou (1943) reprend l'histoire d'un jeune enragé allemand,
il peut peut-être être un double « décalant les décors » au personnage narrateur.
2. **Avocat général** : membre
du ministère public, chargé, dans un procès criminel, de requérir contre
l'accusé. Les magistrats, chez Camus, sont souvent tournés en dérision.
Cf. *l'Étranger*, *l'État de siège*, *la Chute*; 3. Comme la mère de Rieux, comme
la mère de Camus; 4. *Cour d'assises* : juridiction chargée de juger les causes
criminelles. Sur une expérience voisine de celle de Tarrou, cf. les *Souvenirs de
la cour d'assises*, d'André Gide (1914).

ou une distribution de prix. J'en avais une idée fort abstraite
et qui ne me gênait pas.

« Je n'ai pourtant gardé de cette journée qu'une seule
image, celle du coupable. Je crois qu'il était coupable en
effet, il importe peu de quoi. Mais ce petit homme au poil
roux et pauvre, d'une trentaine d'années, paraissait si décidé
à tout reconnaître, si sincèrement effrayé par ce qu'il avait
fait et ce qu'on allait lui faire, qu'au bout de quelques
minutes, je n'eus plus d'yeux que pour lui[1]. Il avait l'air
d'un hibou effarouché par une lumière trop vive. Le nœud
de sa cravate ne s'ajustait pas exactement à l'angle du col.
Il se rongeait les ongles d'une seule main, la droite... Bref,
je n'insiste pas, vous avez compris qu'il était vivant.

« Mais moi, je m'en apercevais brusquement, alors que,
jusqu'ici, je n'avais pensé à lui qu'à travers la catégorie
commode d' « inculpé ». Je ne puis dire que j'oubliais
alors mon père, mais quelque chose me serrait le ventre
qui m'enlevait toute autre attention que celle que je portais
au prévenu. Je n'écoutais presque rien, je sentais qu'on
voulait tuer cet homme vivant et un instinct formidable
comme une vague me portait à ses côtés avec une sorte
d'aveuglement entêté. Je ne me réveillai vraiment qu'avec
le réquisitoire de mon père.

« Transformé par sa robe rouge, ni bonhomme ni affec-
tueux, sa bouche grouillait de phrases immenses, qui, sans
arrêt, en sortaient comme des serpents. Et je compris qu'il
demandait la mort de cet homme au nom de la société et
qu'il demandait même qu'on lui coupât le cou. Il disait
seulement, il est vrai : « Cette tête doit tomber[2]. » Mais,
à la fin, la différence n'était pas grande. Et cela revint au
même, en effet, puisqu'il obtint cette tête. Simplement, ce
n'est pas lui qui fit alors le travail. Et moi qui suivis l'affaire
ensuite jusqu'à sa conclusion, exclusivement, j'eus avec
ce malheureux une intimité bien plus vertigineuse que ne
l'eut jamais mon père. Celui-ci devait pourtant, selon la

---

1. *L'Etranger* (1942) raconte l'histoire d'un jeune employé algérois condamné
à mort pour avoir tué un Arabe. Pendant les débats, un journaliste ne cesse
de considérer l'inculpé avec sympathie ; dans le manuscrit, Camus a noté en
face de ce passage : « C'est moi » ; 2. Cf. « Entre oui et non » (*l'Envers et l'endroit*, 1937) : « Qu'on ne nous dise pas du condamné à mort : « Il va payer sa
« dette à la société », mais : « On va lui couper le cou. » Ça n'a l'air de rien.
Mais ça fait une petite différence. » Le héros de *l'Etranger* est surpris d'entendre le procureur déclarer en le désignant : « Je vous demande la tête de
cet homme. »

coutume, assister à ce qu'on appelait poliment les derniers moments et qu'il faut bien nommer le plus abject des assassinats. [...]

« Vous attendez sans doute que je vous dise que je suis parti aussitôt. Non, je suis resté plusieurs mois, presque une année. Mais j'avais le cœur malade. Un soir, mon père demanda son réveil parce qu'il devait se lever tôt[1]. Je ne dormis pas de la nuit. Le lendemain, quand il revint, j'étais parti. Disons tout de suite que mon père me fit rechercher, que j'allai le voir, que, sans rien expliquer, je lui dis calmement que je me tuerais s'il me forçait à revenir. Il finit par accepter, car il était de naturel plutôt doux, me fit un discours sur la stupidité qu'il y avait à vouloir vivre sa vie (c'est ainsi qu'il s'expliquait mon geste et je ne le dissuadai point), mille recommandations, et réprima les larmes sincères qui lui venaient. Par la suite, assez longtemps après cependant, je revins régulièrement voir ma mère et je le rencontrai alors. Ces rapports lui suffirent, je crois. Pour moi, je n'avais pas d'animosité contre lui, seulement un peu de tristesse au cœur. Quand il mourut, je pris ma mère avec moi et elle y serait encore si elle n'était morte à son tour.

« J'ai longuement insisté sur ce début parce qu'il fut en effet au début de tout. J'irai plus vite maintenant. J'ai connu la pauvreté à dix-huit ans, au sortir de l'aisance. J'ai fait mille métiers pour gagner ma vie[2]. Ça ne m'a pas trop mal réussi. Mais ce qui m'intéressait, c'était la condamnation à mort. Je voulais régler un compte avec le hibou roux. En conséquence, j'ai fait de la politique, comme on dit. Je ne voulais pas être un pestiféré, voilà tout. J'ai cru que la société où je vivais était celle qui reposait sur la condamnation à mort et qu'en la combattant, je combattrais l'assassinat. Je l'ai cru, d'autres me l'ont dit et, pour finir, c'était vrai en grande partie. Je me suis donc mis avec les autres que j'aimais et que je n'ai pas cessé d'aimer. J'y suis resté longtemps et il n'est pas de pays en Europe dont je n'aie partagé les luttes. Passons.

« Bien entendu, je savais que, nous aussi, nous prononcions, à l'occasion, des condamnations. Mais on me disait

---

1. Pour assister, comme sa fonction l'y oblige, à l'exécution d'un condamné; **2.** Aisance en moins, ce fut le sort d'Albert Camus qui, lui aussi, exerça à cet âge divers métiers pour gagner sa vie.

que ces quelques morts étaient nécessaires, pour amener un monde où l'on ne tuerait plus personne. C'était vrai d'une certaine manière et, après tout, peut-être ne suis-je pas capable de me maintenir dans ce genre de vérités. Ce qu'il y a de sûr, c'est que j'hésitais. Mais je pensais au hibou et cela pouvait continuer. Jusqu'au jour où j'ai vu une exécution (c'était en Hongrie[1]), et le même vertige qui avait saisi l'enfant que j'étais a obscurci mes yeux d'homme [...].

« J'ai compris alors que moi, du moins, je n'avais pas cessé d'être un pestiféré pendant toutes ces longues années où pourtant, de toute mon âme, je croyais lutter justement contre la peste. J'ai appris que j'avais indirectement sous-crit à la mort de milliers d'hommes, que j'avais même pro-voqué cette mort en trouvant bons les actions et les prin-cipes qui l'avaient fatalement entraînée. Les autres ne semblaient pas gênés par cela ou du moins ils n'en parlaient jamais spontanément. Moi, j'avais la gorge nouée. J'étais avec eux et j'étais pourtant seul. Quand il m'arrivait d'ex-primer mes scrupules, ils me disaient qu'il fallait réfléchir à ce qui était en jeu et ils me donnaient des raisons souvent impressionnantes, pour me faire avaler ce que je n'arrivais pas à déglutir. Mais je répondais que les grands pestiférés, ceux qui mettent des robes rouges, ont aussi d'excellentes raisons dans ces cas-là, et que si j'admettais les raisons de force majeure et les nécessités invoquées par les petits pestiférés, je ne pourrais pas rejeter celles des grands. Ils me faisaient remarquer que la bonne manière de donner raison aux robes rouges était de leur laisser l'exclusivité de la condamnation. Mais je me disais alors que, si l'on cédait une fois, il n'y avait pas de raison de s'arrêter. Il me semble que l'histoire m'a donné raison, aujourd'hui ç'est à qui tuera le plus. Ils sont tous dans la fureur du meurtre, et ils ne peuvent pas faire autrement.

« Mon affaire à moi, en tout cas, ce n'était pas le raison-nement. C'était le hibou roux, cette sale aventure où de sales bouches empestées annonçaient à un homme dans les chaînes qu'il allait mourir et réglaient toutes choses pour qu'il meure, en effet, après des nuits et des nuits

---

1. Sous la régence autoritaire (1920-1944) de l'amiral Horthy (1868-1957) eurent lieu, en Hongrie, plusieurs soulèvements populaires.

d'agonie pendant lesquelles il attendait d'être assassiné les yeux ouverts[1]. Mon affaire, c'était le trou dans la poitrine. Et je me disais qu'en attendant, et pour ma part au moins, je refuserais de jamais donner une seule raison, une seule, vous entendez, à cette dégoûtante boucherie. Oui, j'ai choisi cet aveuglement obstiné en attendant d'y voir plus clair.

« Depuis, je n'ai pas changé. Cela fait longtemps que j'ai honte, honte à mourir d'avoir été, fût-ce de loin, fût-ce dans la bonne volonté, un meurtrier à mon tour. Avec le temps, j'ai simplement aperçu que même ceux qui étaient meilleurs que d'autres ne pouvaient s'empêcher aujourd'hui de tuer ou de laisser tuer parce que c'était la logique où ils vivaient, et que nous ne pouvions pas faire un geste en ce monde sans risquer de faire mourir. Oui, j'ai continué d'avoir honte ; j'ai appris cela, que nous étions tous dans la peste, et j'ai perdu la paix. Je la cherche encore aujourd'hui, essayant de les comprendre tous et de n'être l'ennemi mortel de personne. Je sais seulement qu'il faut faire ce qu'il faut pour ne plus être un pestiféré et que c'est là ce qui peut, seul, nous faire espérer la paix, ou une bonne mort à son défaut. C'est cela qui peut soulager les hommes et, sinon les sauver, du moins leur faire le moins de mal possible et même parfois un peu de bien. Et c'est pourquoi j'ai décidé de refuser tout ce qui, de près ou de loin, pour de bonnes ou de mauvaises raisons, fait mourir ou justifie qu'on fasse mourir[2] (**53**).

« C'est pourquoi encore cette épidémie ne m'apprend rien, sinon qu'il faut la combattre à vos côtés. Je sais de science certaine (oui, Rieux, je sais tout de la vie, vous le voyez bien) que chacun la porte en soi, la peste, parce

---

1. Meursault, dans sa prison, se rappelle que son père a tenu à assister à une exécution capitale et qu'il en est revenu malade d'écœurement. Cette aventure est arrivée au père d'Albert Camus. Cf., dans *Réflexions sur la peine capitale* (1957), les « Réflexions sur la guillotine » ; 2. Tarrou refuse l'exécution à la fois comme sanction judiciaire et comme procédé politique (cf. l'allocution prononcée à la salle Pleyel en novembre 1948 et reprise dans *Actuelles* sous le titre « le Témoin de la liberté »).

--------- **QUESTIONS** ---------

53. « Tu ne tueras point. » Le précepte évangélique qui inspire la résolution personnelle de Tarrou peut-il en toute circonstance guider la conduite de l'homme engagé dans l'action ?

que personne, non, personne au monde n'en est indemne.
Et qu'il faut se surveiller sans arrêt pour ne pas être amené,
dans une minute de distraction, à respirer dans la figure
d'un autre et à lui coller l'infection. Ce qui est naturel,
c'est le microbe. Le reste, la santé, l'intégrité, la pureté,
si vous voulez, c'est un effet de la volonté et d'une volonté
qui ne doit jamais s'arrêter. L'honnête homme, celui qui
n'infecte presque personne, c'est celui qui a le moins de
distractions possible. Et il en faut de la volonté et de la
tension pour ne jamais être distrait! Oui, Rieux, c'est bien
fatigant d'être un pestiféré. Mais c'est encore plus fatigant de ne pas vouloir l'être[1]. C'est pour cela que tout le
monde se montre fatigué, puisque tout le monde, aujour-
d'hui, se trouve un peu pestiféré. Mais c'est pour cela que
quelques-uns, qui veulent cesser de l'être, connaissent une
extrémité de fatigue dont rien ne les délivrera plus que la
mort (**54**).

« D'ici là, je sais que je ne vaux plus rien pour ce monde
lui-même et qu'à partir du moment où j'ai renoncé à tuer,
je me suis condamné à un exil définitif. Ce sont les autres
qui feront l'histoire[2]. Je sais aussi que je ne puis apparemment juger ces autres. Il y a une qualité qui me manque
pour faire un meurtrier raisonnable. Ce n'est donc pas
une supériorité. Mais maintenant, je consens à être ce
que je suis, j'ai appris la modestie. Je dis seulement qu'il
y a sur cette terre des fléaux et des victimes et qu'il faut,
autant qu'il est possible, refuser d'être avec le fléau. Cela
vous paraîtra peut-être un peu simple, et je ne sais si cela
est simple, mais je sais que cela est vrai. J'ai entendu tant
de raisonnements qui ont failli me tourner la tête, et qui
ont tourné suffisamment d'autres têtes pour les faire consen-

---

1. Cf. la phrase de Nietzsche citée en exergue d'*Actuelles* : « Il vaut mieux
périr que haïr et craindre; il vaut mieux périr deux fois que se faire haïr
et redouter; telle devra être un jour la suprême maxime de toute société
organisée politiquement. » (Camus ne donne pas la référence de ce texte,
tiré du recueil intitulé *le Voyageur et son ombre*, aphorisme 284); **2.** *Faire
l'histoire* : sur le sens de cette expression, cf. la Notice, p. 29. Camus, en se
retirant de *Combat* en 1947, s'est écarté, comme Tarrou, de l'action militante;
mais, comme son héros, il s'est toujours mobilisé pour servir les causes qu'il
croyait justes.

─────── **QUESTIONS** ───────

54. L'honnêteté « aseptique » de Tarrou et l'honnêteté « anti-
septique » de Rieux.

tir à l'assassinat, que j'ai compris que tout le malheur des hommes venait de ce qu'ils ne tenaient pas un langage clair. J'ai pris le parti alors de parler et d'agir clairement, pour me mettre sur le bon chemin. Par conséquent, je dis qu'il y a les fléaux et les victimes[1], et rien de plus. Si, disant cela, je deviens fléau moi-même, du moins, je n'y suis pas consentant. J'essaie d'être un meurtrier innocent. Vous voyez que ce n'est pas une grande ambition.

« Il faudrait, bien sûr, qu'il y eût une troisième catégorie, celle des vrais médecins, mais c'est un fait qu'on n'en rencontre pas beaucoup et que ce doit être difficile. C'est pourquoi j'ai décidé de me mettre du côté des victimes, en toute occasion, pour limiter les dégâts. Au milieu d'elles, je peux du moins chercher comment on arrive à la troisième catégorie, c'est-à-dire à la paix (**55**). »

En terminant, Tarrou balançait sa jambe et frappait doucement du pied contre la terrasse. Après un silence, le docteur se souleva un peu et demanda si Tarrou avait une idée du chemin qu'il fallait prendre pour arriver à la paix.

« Oui, la sympathie. »

Deux timbres d'ambulance résonnèrent dans le lointain. Les exclamations, tout à l'heure confuses, se rassemblèrent aux confins de la ville, près de la colline pierreuse. On entendit en même temps quelque chose qui ressemblait à une détonation. Puis le silence revint. Rieux compta deux clignements de phare. La brise sembla prendre plus de force, et du même coup, un souffle venu de la mer apporta une odeur de sel. On entendait maintenant de façon distincte la sourde respiration des vagues contre la falaise.

« En somme, dit Tarrou avec simplicité, ce qui m'intéresse, c'est de savoir comment on devient un saint.

— Mais vous ne croyez pas en Dieu.

---

1. Voir dans *Actuelles* p. 70 et p. 212 les phases de la controverse qui, à la Libération, opposa Camus et Mauriac au sujet de la peine de mort. Cf. Notice, p. 29.

━━━━ QUESTIONS ━━━━

55. Tarrou confie ici qu'il souhaite arriver à la paix par la sympathie. Au cours de l'entretien précédent, il a suggéré que sa morale pouvait être fondée sur la compréhension. Analysez ces deux déclarations. Précisez-en l'intérêt et la valeur.

— Justement. Peut-on être un saint sans Dieu, c'est le seul problème concret que je connaisse aujourd'hui[1]. »

Brusquement, une grande lueur jaillit du côté d'où étaient venus les cris et, remontant le fleuve du vent, une clameur obscure parvint jusqu'aux deux hommes. La lueur s'assombrit aussitôt et loin, au bord des terrasses, il ne resta qu'un rougeoiement. Dans une panne de vent[2], on entendit distinctement des cris d'hommes, puis le bruit d'une décharge et la clameur d'une foule. Tarrou s'était levé et écoutait. On n'entendait plus rien.

« On s'est encore battu aux portes.

— C'est fini maintenant », dit Rieux (**56**).

Tarrou murmura que ce n'était jamais fini et qu'il y aurait encore des victimes, parce que c'était dans l'ordre.

« Peut-être, répondit le docteur, mais vous savez, je me sens plus de solidarité avec les vaincus qu'avec les saints. Je n'ai pas de goût, je crois, pour l'héroïsme et la sainteté. Ce qui m'intéresse, c'est d'être un homme[2].

— Oui, nous cherchons la même chose, mais je suis moins ambitieux (**57**). »

Rieux pensa que Tarrou plaisantait et il le regarda. Mais

---

1. Cf. Simone de Beauvoir : « S'il advenait que chaque homme fasse ce qu'il se doit, en chacun l'existence serait sauvée sans qu'il y ait lieu de rêver d'un paradis où tous seraient réconciliés dans la mort. » (*Pour une morale de l'ambiguïté*, 1947.) C'est le contraire du propos de Pascal : « Pour faire d'un homme un saint, il faut bien que ce soit la grâce, et qui en doute ne sait ce que c'est que saint et qu'homme » (*Pensées*, éd. Brunschvicg, II, 508);
2. Cf. Gide, citant dans son *Journal* (« Feuillets, Été 1937 ») le mot d'un personnage de Malraux dans *l'Espoir* (1937) : « Vous savez que c'est difficile d'être un homme [...] »

——— QUESTIONS ———

56. Quelle est, aux yeux des deux amis, la signification de ces tentatives de révolte ?

57. Précisez le contenu de chaque maxime de Tarrou : s'interdire d'être un « meurtrier raisonnable »; — s'efforcer de n'être, au pis aller, qu'un « meurtrier innocent »; — aspirer à devenir, si possible, un « vrai médecin »; — viser à exercer la « sainteté sans Dieu ». Comment Rieux réagit-il devant ce programme ? Pourquoi Tarrou juge-t-il qu' « être un homme » est un idéal plus ambitieux ? Clamence, dans *la Chute*, quand il analyse ses sentiments devant les accusés (p. 66) ou définit sa technique du bonheur (p. 166), prend le contrepied des héros de *la Peste*. Que pensez-vous de cette opposition ?

dans la vague lueur qui venait du ciel, il vit un visage triste et sérieux. Le vent se levait à nouveau et Rieux sentit qu'il était tiède sur sa peau. Tarrou se secoua :

« Savez-vous, dit-il, ce que nous devrions faire pour l'amitié ?

— Ce que vous voulez, dit Rieux.

— Prendre un bain de mer. Même pour un futur saint, c'est un plaisir digne[1]. »

Rieux souriait.

« Avec nos laissez-passer, nous pouvons aller sur la jetée. A la fin, c'est trop bête de ne vivre que dans la peste. Bien entendu, un homme doit se battre pour les victimes. Mais s'il cesse de rien aimer par ailleurs, à quoi sert qu'il se batte ?

— Oui, dit Rieux, allons-y. »

Un moment après, l'auto s'arrêtait près des grilles du port. La lune s'était levée. Un ciel laiteux projetait partout des ombres pâles. Derrière eux s'étageait la ville et il en venait un souffle chaud et malade qui les poussait vers la mer. Ils montrèrent leurs papiers à un garde qui les examina assez longuement. Ils passèrent et à travers les terrepleins couverts de tonneaux, parmi les senteurs de vin et de poisson, ils prirent la direction de la jetée. Peu avant d'y arriver, l'odeur de l'iode et des algues leur annonça la mer. Puis, ils l'entendirent.

Elle sifflait doucement au pied des grands blocs de la jetée et, comme ils les gravissaient, elle leur apparut, épaisse comme du velours, souple et lisse comme une bête. Ils s'installèrent sur les rochers tournés vers le large. Les eaux se gonflaient et redescendaient lentement. Cette respiration calme de la mer faisait naître et disparaître des reflets huileux à la surface des eaux. Devant eux, la nuit était sans limites. Rieux, qui sentait sous ses doigts le visage grêlé des rochers, était plein d'un étrange bonheur. Tourné vers Tarrou, il devina, sur le visage grave et calme de son ami, ce même bonheur qui n'oubliait rien, pas même l'assassinat.

Ils se déshabillèrent. Rieux plongea le premier. Froides d'abord, les eaux lui parurent tièdes quand il remonta.

---

1. De nuit comme de jour, c'était un des plaisirs favoris de Camus à l'époque de *Noces* (1937). Cf. notamment « Noces à Tipasa ».

Au bout de quelques brasses, il savait que la mer, ce soir-là, était tiède, de la tiédeur des mers d'automne qui reprennent à la terre la chaleur emmagasinée pendant de longs mois. Il nageait régulièrement. Le battement de ses pieds laissait derrière lui un bouillonnement d'écume, l'eau fuyait le long de ses bras pour se coller à ses jambes. Un lourd clapotement lui apprit que Tarrou avait plongé. Rieux se mit sur le dos et se tint immobile, face au ciel renversé, plein de lune et d'étoiles. Il respira longuement. Puis il perçut de plus en plus distinctement un bruit d'eau battue, étrangement clair dans le silence et la solitude de la nuit. Tarrou se rapprochait, on entendit bientôt sa respiration. Rieux se retourna, se mit au niveau de son ami, et nagea dans le même rythme. Tarrou avançait avec plus de puissance que lui et il dut précipiter son allure. Pendant quelques minutes, ils avancèrent avec la même cadence et la même vigueur, solitaires, loin du monde, libérés enfin de la ville et de la peste. Rieux s'arrêta le premier et ils revinrent lentement, sauf à un moment où ils entrèrent dans un courant glacé. Sans rien dire, ils précipitèrent tous deux leur mouvement, fouettés par cette surprise de la mer.

Habillés de nouveau, ils repartirent sans avoir prononcé un mot. Mais ils avaient le même cœur et le souvenir de cette nuit leur était doux. Quand ils aperçurent de loin la sentinelle de la peste, Rieux savait que Tarrou se disait, comme lui, que la maladie venait de les oublier, que cela était bien, et qu'il fallait maintenant recommencer (**58**).

***

[Avec décembre surviennent les grands froids, sans que la peste relâche son étreinte.

Grand s'est épuisé à mener de front sa vie professionnelle, son activité bénévole et son labeur privé. Il est en outre torturé, en

─────── **QUESTIONS** ───────

58. Notations visuelles, auditives, olfactives, tactiles, morales — étudiez dans la fin du passage la poésie de la nuit et de la mer; montrez la portée de cette escapade dans la nature.

dépit du temps écoulé, par le souvenir de son bonheur perdu. Le jour de Noël, il erre, désemparé, à travers la ville[1]. Rieux et Tarrou sont partis à sa recherche.]

A midi, heure glacée, Rieux, sorti de la voiture, regardait de loin Grand, presque collé contre une vitrine, pleine de jouets grossièrement sculptés dans le bois[2]. Sur le visage du vieux fonctionnaire, des larmes coulaient sans interruption. Et ces larmes bouleversèrent Rieux parce qu'il les comprenait et qu'il les sentait aussi au creux de sa gorge. Il se souvenait lui aussi des fiançailles du malheureux, devant une boutique de Noël, et de Jeanne renversée vers lui pour dire qu'elle était contente. Du fond d'années lointaines, au cœur même de cette folie, la voix fraîche de Jeanne revenait vers Grand, cela était sûr. Rieux savait ce que pensait à cette minute le vieil homme qui pleurait, et il le pensait comme lui, que ce monde sans amour était comme un monde mort et qu'il vient toujours une heure où on se lasse des prisons, du travail et du courage pour réclamer le visage d'un être et le cœur émerveillé de la tendresse.

Mais l'autre l'aperçut dans la glace. Sans cesser de pleurer, il se retourna et s'adossa à la vitrine pour le regarder venir.

« Ah! Docteur, ah! Docteur », faisait-il.

Rieux hochait la tête pour l'approuver, incapable de parler. Cette détresse était la sienne et ce qui lui tordait le cœur à ce moment était l'immense colère qui vient à l'homme devant la douleur que tous les hommes partagent.

« Oui, Grand, dit-il.

— Je voudrais avoir le temps de lui écrire une lettre. Pour qu'elle sache... et pour qu'elle puisse être heureuse sans remords... »

Avec une sorte de violence, Rieux fit avancer Grand. L'autre continuait, se laissant presque traîner, balbutiant des bouts de phrase.

« Il y a trop longtemps que ça dure. On a envie de se laisser aller, c'est forcé. Ah! Docteur! j'ai l'air tranquille,

---

1. Il n'a pu se consoler d'avoir été jadis abandonné par sa femme. L'histoire de Jeanne apparaît dans les *Carnets* (p. 134) en décembre 1938; 2. En ces temps de restrictions, les boutiques ne sont approvisionnées qu'en produits de remplacement de médiocre qualité.

comme ça. Mais il m'a toujours fallu un énorme effort pour être seulement normal. Alors maintenant, c'est encore trop. »

Il s'arrêta, tremblant de tous ses membres et les yeux fous. Rieux lui prit la main. Elle brûlait.

« Il faut rentrer. »

Mais Grand lui échappa et courut quelques pas, puis il s'arrêta, écarta les bras et se mit à osciller d'avant en arrière. Il tourna sur lui-même et tomba sur le trottoir glacé, le visage sali par les larmes qui continuaient de couler. Les passants regardaient de loin, arrêtés brusquement, n'osant plus avancer. Il fallut que Rieux prît le vieil homme dans ses bras.

Dans son lit maintenant, Grand étouffait : les poumons étaient pris. Rieux réfléchissait. L'employé n'avait pas de famille. A quoi bon le transporter ? Il serait seul, avec Tarrou, à le soigner...

Grand était enfoncé au creux de son oreiller, la peau verdie et l'œil éteint. Il regardait fixement un maigre feu que Tarrou allumait dans la cheminée avec les débris d'une caisse. « Ça va mal », disait-il. Et du fond de ses poumons en flammes sortait un bizarre crépitement qui accompagnait tout ce qu'il disait. Rieux lui recommanda de se taire et dit qu'il allait revenir. Un bizarre sourire vint au malade et, avec lui, une sorte de tendresse lui monta au visage. Il cligna de l'œil avec effort. « Si j'en sors, chapeau bas[1], docteur ! » Mais tout de suite après, il tomba dans la prostration.

Quelques heures après, Rieux et Tarrou retrouvèrent le malade, à demi dressé dans son lit, et Rieux fut effrayé de lire sur son visage les progrès du mal qui le brûlait. Mais il semblait plus lucide, et tout de suite, d'une voix étrangement creuse, il les pria de lui apporter le manuscrit qu'il avait mis dans un tiroir. Tarrou lui donna les feuilles qu'il serra contre lui, sans les regarder, pour les tendre ensuite au docteur, l'invitant du geste à les lire. C'était un court manuscrit d'une cinquantaine de pages. Le docteur le feuilleta et comprit que toutes ces feuilles ne portaient que la même phrase indéfiniment recopiée, remaniée, enri-

---

1. C'est la formule qu'il rêve d'entendre prononcer par l'éditeur enthousiasmé par son chef-d'œuvre. Cf. p. 66.

chie ou appauvrie. Sans arrêt, le mois de mai, l'amazone et les allées du Bois se confrontaient et se disposaient de façons diverses. L'ouvrage comportait aussi des explications, parfois démesurément longues, et des variantes. Mais à la fin de la dernière page, une main appliquée avait seulement écrit d'une encre encore fraîche : « Ma bien chère Jeanne, c'est aujourd'hui Noël... » Au-dessus, soigneusement calligraphiée, figurait la dernière version de la phrase. « Lisez », disait Grand. Et Rieux lut.

« Par une belle matinée de mai, une svelte amazone, montée sur une somptueuse jument alezane, parcourait, au milieu des fleurs, les allées du Bois... (**59**) »

« Est-ce cela ? » dit le vieux d'une voix de fièvre.

Rieux ne leva pas les yeux sur lui.

« Ah ! dit l'autre en s'agitant, je sais bien. Belle, belle, ce n'est pas le mot juste. »

Rieux lui prit la main sur la couverture.

« Laissez, Docteur. Je n'aurai pas le temps... »

Sa poitrine se soulevait avec peine et il cria tout d'un coup :

« Brûlez-le ! (**60**) »

Le docteur hésita, mais Grand répéta son ordre avec un accent si terrible et une telle souffrance dans la voix, que Rieux jeta les feuilles dans le feu presque éteint. La pièce s'illumina rapidement et une chaleur brève la réchauffa. Quand le docteur revint vers le malade, celui-ci avait le dos tourné et sa face touchait presque au mur. Tarrou regardait par la fenêtre, comme étranger à la scène. Après avoir injecté le sérum, Rieux dit à son ami que Grand ne passerait pas la nuit, et Tarrou se proposa pour rester. Le docteur accepta (**61**).

Toute la nuit, l'idée que Grand allait mourir le poursuivit. Mais le lendemain matin, Rieux trouva Grand assis sur son lit, parlant avec Tarrou. La fièvre avait disparu. Il ne restait que les signes d'un épuisement général.

QUESTIONS
---

59. Que vaut, par rapport aux précédentes (cf. pp. 68, 75 et 76), la nouvelle version de la phrase de Grand ?

60. Pourquoi Grand demande-t-il au docteur de brûler le manuscrit ?

61. L'attitude de Rieux et celle de Tarrou devant Grand : deux types de générosité. Précisez-les.

« Ah! Docteur, disait l'employé, j'ai eu tort. Mais je recommencerai. Je me souviens de tout, vous verrez (**62**).

— Attendons », dit Rieux à Tarrou.

Mais à midi, rien n'était changé. Le soir, Grand pouvait être considéré comme sauvé. Rieux ne comprenait rien à cette résurrection [...] (**63**).

V

[La guérison inattendue de Grand semble être pour la peste un signal de retraite. En janvier, les statistiques de décès commencent à baisser. Bientôt le recul se confirme et s'accélère : le 25, les autorités peuvent considérer l'épidémie comme terminée et annoncer l'ouverture des portes pour une date prochaine.

Dès les prémices de la Libération, l'allégresse renaît dans les cœurs. C'est à ce moment que Tarrou est atteint par un des derniers soubresauts du mal. La mère de Rieux propose de le garder à la maison sans tenir compte des règlements. Le docteur, d'abord, hésite.]

Quand il revint dans la chambre, Tarrou vit qu'il tenait les énormes ampoules de sérum.

« Ah, c'est cela, dit-il.

— Non, mais c'est une précaution. »

Tarrou tendit son bras pour toute réponse et il subit l'interminable injection qu'il avait lui-même pratiquée sur d'autres malades.

« Nous verrons ce soir, dit Rieux, et il regarda Tarrou en face.

— Et l'isolement, Rieux ?

— Il n'est pas du tout sûr que vous ayez la peste. »

Tarrou sourit avec effort.

———— **QUESTIONS** ————

62. Lisez les dernières pages du *Mythe de Sisyphe* et confrontez la méditation du héros « absurde », condamné à reprendre indéfiniment la même tâche, avec l'état d'esprit de Grand, martyr du perpétuel recommencement.

63. Pour quels motifs Camus a-t-il jugé bon de soustraire Grand à la mort ?

« C'est la première fois que je vois injecter un sérum sans ordonner en même temps l'isolement. »

Rieux se détourna.

« Ma mère et moi, nous vous soignerons. Vous serez mieux ici. »

Tarrou se tut et le docteur, qui rangeait les ampoules, attendit qu'il parlât pour se retourner. A la fin, il se dirigea vers le lit. Le malade le regardait. Son visage était fatigué, mais ses yeux gris étaient calmes. Rieux lui sourit.

« Dormez si vous le pouvez. Je reviendrai tout à l'heure. »

Arrivé à la porte, il entendit la voix de Tarrou qui l'appelait. Il retourna vers lui.

Mais Tarrou semblait se débattre contre l'expression même de ce qu'il avait à dire :

« Rieux, articula-t-il enfin, il faudra tout me dire, j'en ai besoin.

— Je vous le promets. »

L'autre tordit un peu son visage massif dans un sourire.

« Merci. Je n'ai pas envie de mourir et je lutterai. Mais si la partie est perdue, je veux faire une bonne fin. »

Rieux se baissa et lui serra l'épaule.

« Non, dit-il. Pour devenir un saint, il faut vivre[1]. Luttez. »

Dans la journée, le froid qui avait été vif diminua un peu, mais pour faire place, l'après-midi, à de violentes averses de pluie et de grêle. Au crépuscule, le ciel se découvrit un peu et le froid se fit plus pénétrant. Rieux revint chez lui dans la soirée. Sans quitter son pardessus, il entra dans la chambre de son ami. Sa mère tricotait. Tarrou semblait n'avoir pas bougé de place, mais ses lèvres, blanchies par la fièvre, disaient la lutte qu'il était en train de soutenir.

« Alors ? » dit le docteur.

Tarrou haussa un peu, hors du lit, ses épaules épaisses.

« Alors, dit-il, je perds la partie. »

Le docteur se pencha sur lui. Des ganglions s'étaient noués sous la peau brûlante, sa poitrine semblait retentir de tous les bruits d'une forge souterraine. Tarrou présentait curieusement les deux séries de symptômes[2]. Rieux

---

1. Rappel des confidences échangées entre les deux hommes sur la terrasse de la maison du vieil asthmatique. Cf. p. 114; 2. Les deux aspects principaux sous lesquels la peste s'est manifestée dans la ville sont caractérisés, l'un par une inflammation des ganglions, l'autre par une infection de l'appareil respiratoire. Ces affections apparaissent, la première surtout l'été, la seconde surtout l'hiver. La maladie a fait bonne mesure pour Tarrou.

dit en se relevant que le sérum n'avait pas encore eu le temps de donner tout son effet. Mais un flot de fièvre qui vint rouler dans sa gorge noya les quelques mots que Tarrou essaya de prononcer.

Après dîner, Rieux et sa mère vinrent s'installer près du malade. La nuit commençait pour lui dans la lutte et Rieux savait que ce dur combat avec l'ange de la peste[1] devait durer jusqu'à l'aube. Les épaules solides et la large poitrine de Tarrou n'étaient pas ses meilleures armes, mais plutôt ce sang que Rieux avait fait jaillir tout à l'heure sous son aiguille, et, dans ce sang, ce qui était plus intérieur que l'âme et qu'aucune science ne pouvait mettre à jour. Et lui devait seulement regarder lutter son ami. Ce qu'il allait faire, les abcès qu'il devait favoriser, les toniques qu'il fallait inoculer, plusieurs mois d'échecs répétés lui avaient appris à en apprécier l'efficacité. Sa seule tâche, en vérité, était de donner des occasions à ce hasard qui trop souvent ne se dérange que provoqué. Et il fallait que le hasard se dérangeât. Car Rieux se trouvait devant un visage de la peste qui le déconcertait. Une fois de plus, elle s'appliquait à dérouter les stratégies dressées contre elle, elle apparaissait aux lieux où on ne l'attendait pas pour disparaître de ceux où elle semblait déjà installée. Une fois de plus, elle s'appliquait à étonner.

Tarrou luttait, immobile. Pas une seule fois, au cours de la nuit, il n'opposa l'agitation aux assauts du mal, combattant seulement de toute son épaisseur et de tout son silence. Mais pas une seule fois, non plus, il ne parla, avouant ainsi, à sa manière, que la distraction ne lui était plus possible. Rieux suivait seulement les phases du combat aux yeux de son ami, tour à tour ouverts ou fermés, les paupières plus serrées contre le globe de l'œil ou, au contraire, distendues, le regard fixé sur un objet ou ramené sur le docteur et sa mère. Chaque fois que le docteur rencontrait ce regard, Tarrou souriait, dans un grand effort.

A un moment, on entendit des pas précipités dans la rue. Ils semblaient s'enfuir devant un grondement lointain qui

---

1. Allusion à la lutte soutenue toute une nuit par Jacob contre l'envoyé du Seigneur (Genèse, XXXII, 25-33). Une pièce de Giraudoux s'intitule *Combat avec l'ange* (1934). Une œuvre d'André Malraux, dont *les Noyers de l'Altenburg* (1943) constituaient la première partie, devait s'appeler *la Lutte avec l'ange*.

se rapprocha peu à peu et finit par remplir la rue de son ruissellement : la pluie reprenait, bientôt mêlée d'une grêle qui claquait sur les trottoirs. Les grandes tentures ondulèrent devant les fenêtres. Dans l'ombre de la pièce, Rieux, un instant distrait par la pluie, contemplait à nouveau Tarrou, éclairé par une lampe de chevet. Sa mère tricotait, levant de temps en temps la tête pour regarder attentivement le malade. Le docteur avait fait maintenant tout ce qu'il y avait à faire. Après la pluie, le silence s'épaissit dans la chambre, pleine seulement du tumulte muet d'une guerre invisible. Crispé par l'insomnie, le docteur imaginait entendre, aux limites du silence, le sifflement doux et régulier qui l'avait accompagné pendant toute l'épidémie[1]. Il fit un signe à sa mère pour l'engager à se coucher. Elle refusa de la tête, et ses yeux s'éclairèrent, puis elle examina soigneusement, au bout de ses aiguilles, une maille dont elle n'était pas sûre. Rieux se leva pour faire boire le malade, et revint s'asseoir.

Des passants, profitant de l'accalmie, marchaient rapidement sur le trottoir. Leurs pas décroissaient et s'éloignaient. Le docteur, pour la première fois, reconnut que cette nuit, pleine de promeneurs tardifs et privée des timbres d'ambulances, était semblable à celles d'autrefois. C'était une nuit délivrée de la peste. Et il semblait que la maladie chassée par le froid, les lumières et la foule, se fût échappée des profondeurs obscures de la ville et réfugiée dans cette chambre chaude pour donner son ultime assaut au corps inerte de Tarrou. Le fléau ne brassait plus le ciel de la ville. Mais il sifflait doucement dans l'air lourd de la chambre. C'était lui que Rieux entendait depuis des heures. Il fallait attendre que là aussi il s'arrêtât, que là aussi la peste se déclarât vaincue.

Peu avant l'aube, Rieux se pencha vers sa mère :

« Tu devrais te coucher pour pouvoir me relayer à huit heures. Fais des instillations avant de te coucher. »

Mme Rieux se leva, rangea son tricot et s'avança vers le lit. Tarrou, depuis quelque temps déjà, tenait ses yeux fermés. La sueur bouclait ses cheveux sur le front dur. Mme Rieux soupira et le malade ouvrit les yeux. Il vit le visage doux penché vers lui et, sous les ondes mobiles de

---

1. Cf. p. 87.

la fièvre, le sourire tenace reparut encore. Mais les yeux se fermèrent aussitôt. Resté seul, Rieux s'installa dans le fauteuil que venait de quitter sa mère. La rue était muette et le silence maintenant complet. Le froid du matin commençait à se faire sentir dans la pièce.

Le docteur s'assoupit, mais la première voiture de l'aube le tira de sa somnolence. Il frissonna et, regardant Tarrou, il comprit qu'une pause avait eu lieu et que le malade dormait aussi. Les roues de bois et de fer de la voiture à cheval roulaient encore dans l'éloignement. A la fenêtre, le jour était encore noir. Quand le docteur avança vers le lit, Tarrou le regardait de ses yeux sans expression, comme s'il se trouvait du côté du sommeil.

« Vous avez dormi, n'est-ce pas ? demanda Rieux.

— Oui.

— Respirez-vous mieux ?

— Un peu. Cela veut-il dire quelque chose ? »

Rieux se tut et, au bout d'un moment :

« Non, Tarrou, cela ne veut rien dire. Vous connaissez comme moi la rémission matinale[1]. »

Tarrou approuva.

« Merci, dit-il. Répondez-moi toujours exactement. »

Rieux s'était assis au pied du lit. Il sentait près de lui les jambes du malade, longues et dures comme des membres de gisant. Tarrou respirait plus fortement.

« La fièvre va reprendre, n'est-ce pas, Rieux ? dit-il d'une voix essoufflée.

— Oui, mais à midi, nous serons fixés (**64**). »

Tarrou ferma les yeux, semblant recueillir ses forces. Une expression de lassitude se lisait sur ses traits. Il attendait la montée de la fièvre qui remuait déjà quelque part, au fond de lui. Quand il ouvrit les yeux, son regard était terni. Il ne s'éclaircit qu'en apercevant Rieux penché près de lui.

« Buvez », disait celui-ci.

L'autre but et laissa retomber sa tête.

1. Cf. p. 92. C'est un signe ambigu, mais qui est plutôt de mauvais augure.

— **QUESTIONS** —

64. Le style médical du docteur Rieux : comment réagit-il devant la maladie ? De quelles qualités fait-il preuve devant le malade ?

« C'est long », dit-il.

Rieux lui prit le bras, mais Tarrou, le regard détourné, ne réagissait plus. Et soudain, la fièvre reflua visiblement jusqu'à son front comme si elle avait crevé quelque digue intérieure. Quand le regard de Tarrou revint vers le docteur, celui-ci l'encourageait de son visage tendu. Le sourire que Tarrou essaya encore de former ne put passer au-delà des maxillaires serrés et des lèvres cimentées par une écume blanchâtre. Mais, dans la face durcie, les yeux brillèrent encore de tout l'éclat du courage **(65)**.

A sept heures, Mme Rieux entra dans la pièce. Le docteur regagna son bureau pour téléphoner à l'hôpital et pourvoir à son remplacement. Il décida aussi de remettre ses consultations, s'étendit un moment sur le divan de son cabinet, mais se leva presque aussitôt et revint dans la chambre. Tarrou avait la tête tournée vers Mme Rieux. Il regardait la petite ombre tassée près de lui, sur une chaise, les mains jointes sur les cuisses. Et il la contemplait avec tant d'intensité que Mme Rieux mit un doigt sur ses lèvres et se leva pour éteindre la lampe de chevet. Mais derrière les rideaux, le jour filtrait rapidement et, peu après, quand les traits du malade émergèrent de l'obscurité, Mme Rieux put voir qu'il la regardait toujours. Elle se pencha vers lui, redressa son traversin et, en se relevant, posa un instant sa main sur les cheveux mouillés et tordus. Elle entendit alors une voix assourdie, venue de loin, lui dire merci et que maintenant tout était bien[1]. Quand elle fut assise à nouveau, Tarrou avait fermé les yeux et son visage épuisé, malgré la bouche scellée, semblait sourire à nouveau.

A midi, la fièvre était à son sommet. Une sorte de toux viscérale secouait le corps du malade qui commença seulement à cracher du sang. Les ganglions avaient cessé d'enfler. Ils étaient toujours là, durs comme des écrous, vissés dans le creux des articulations, et Rieux jugea impossible de les ouvrir. Dans les intervalles de la fièvre et de la toux,

---

1. Dans *le Mythe de Sisyphe* et dans *l'Homme révolté*, Camus, sur la foi d'une interprétation erronée de Montherlant (*Service inutile*, « la Possession de soi-même », 1935), prête cette pensée à Œdipe. Il s'agit en réalité du mot de Socrate devant ses juges (*Apologie*, XXIX).

———— QUESTIONS ————

65. Sourire, ironie, pudeur : étudiez les manifestations de l'amitié virile chez Rieux et chez Tarrou.

Tarrou de loin en loin regardait encore ses amis. Mais, bientôt, ses yeux s'ouvrirent de moins en moins souvent, et la lumière qui venait alors éclairer sa face dévastée se fit plus pâle à chaque fois. L'orage qui secouait ce corps de soubresauts convulsifs l'illuminait d'éclairs de plus en plus rares et Tarrou dérivait lentement au fond de cette tempête. Rieux n'avait plus devant lui qu'un masque désormais inerte où le sourire avait disparu. Cette forme humaine qui lui avait été si proche, percée maintenant de coups d'épieu[1], brûlée par un mal surhumain, tordue par tous les vents haineux du ciel, s'immergeait à ses yeux dans les eaux de la peste et il ne pouvait rien contre ce naufrage. Il devait rester sur le rivage, les mains vides et le cœur tordu, sans armes et sans recours une fois de plus contre ce désastre. Et à la fin, ce furent bien les larmes de l'impuissance qui empêchèrent Rieux de voir Tarrou se retourner brusquement contre le mur, et expirer dans une plainte creuse, comme si, quelque part en lui, une corde essentielle s'était rompue (**66**).

La nuit qui suivit ne fut pas celle de la lutte, mais celle du silence. Dans cette chambre retranchée du monde, au-dessus de ce corps mort maintenant habillé, Rieux sentit planer le calme surprenant qui, bien des nuits auparavant, sur les terrasses au-dessus de la peste, avait suivi l'attaque des portes (**67**). Déjà, à cette époque, il avait pensé à ce silence qui s'élevait des lits où il avait laissé mourir des hommes. C'était partout la même pause, le même intervalle solennel, toujours le même apaisement qui suivait les combats, c'était le silence de la défaite. Mais pour celui qui enveloppait maintenant son ami, il était si compact, il s'accordait si étroitement au silence des rues et de la ville libérée de la peste, que Rieux sentait bien qu'il s'agissait cette fois de la défaite définitive, celle qui termine les

---

1. Paneloux s'était servi d'expressions voisines dans son premier sermon. Mais il s'agissait alors d'une évocation allégorique, tandis que la torture de Tarrou donne à cette image un sens rigoureux.

───── **QUESTIONS** ─────

66. Comparez l'agonie de Tarrou à celle du père Goriot et à celle d'Emma Bovary.

67. Pourquoi Albert Camus fait-il mourir Tarrou au moment même où la tourmente prend fin ?

guerres et fait de la paix elle-même une souffrance sans
guérison. Le docteur ne savait pas si, pour finir, Tarrou
avait retrouvé la paix[1], mais, dans ce moment tout au moins,
il croyait savoir qu'il n'y aurait jamais plus de paix possible
pour lui-même, pas plus qu'il n'y a d'armistice pour la
mère amputée de son fils ou pour l'homme qui ensevelit
son ami (68).

[A peine la défaite de l'amitié est-elle consommée que survient
la défaite de l'amour. Au lendemain de la mort de Tarrou, Rieux
apprend la mort de sa femme.]

*
* *

[Un jour de février ensoleillé et glacial, les portes de la ville
s'ouvrent. La foule en liesse se répand dans les rues.]

Mais cette banale exubérance ne disait pas tout et ceux qui
remplissaient les rues à la fin de l'après-midi, aux côtés
de Rambert[2], déguisaient souvent, sous une attitude pla-
cide, des bonheurs plus délicats. Bien des couples et bien
des familles, en effet, n'avaient pas d'autre apparence que
celle de promeneurs pacifiques. En réalité, la plupart effec-
tuaient des pèlerinages délicieux aux lieux où ils avaient
souffert. Il s'agissait de montrer aux nouveaux venus les
signes éclatants ou cachés de la peste, les vestiges de son
histoire. Dans quelques cas, on se contentait de jouer au
guide, à celui qui a vu beaucoup de choses, au contemporain de la peste, et on parlait du danger sans évoquer la
peur. Ces plaisirs étaient inoffensifs. Mais, dans d'autres
cas, il s'agissait d'itinéraires plus frémissants où un amant,
abandonné à la douce angoisse du souvenir, pouvait dire
à sa compagne : « En ce lieu, à cette époque, je t'ai désirée
et tu n'étais pas là. » Ces touristes de la passion pouvaient

1. La paix avait été l'objectif capital de Tarrou. Cf. p. 113. Mais la paix qu'il
avait obtenue, était-ce celle qu'il avait espérée ? 2. Rambert a eu la chance de
retrouver sa femme, arrivée à Oran dès le rétablissement des communications.

—— **QUESTIONS** ——

68. La passion et la mort de Salavin (« Tel qu'en lui-même »,
dans *Vie et aventures de Salavin*, de G. Duhamel); la passion et
la mort de Tarrou.

alors se reconnaître : ils formaient des îlots de chuchotements
et de confidences au milieu du tumulte où ils cheminaient.
Mieux que les orchestres aux carrefours, c'étaient eux qui
annonçaient la vraie délivrance. Car ces couples ravis,
étroitement ajustés et avares de paroles, affirmaient au
milieu du tumulte, avec tout le triomphe et l'injustice du
bonheur, que la peste était finie et que la terreur avait fait
son temps. Ils niaient tranquillement, contre toute évidence,
que nous ayons jamais connu ce monde insensé où le
meurtre d'un homme était aussi quotidien que celui des
mouches, cette sauvagerie bien définie, ce délire calculé,
cet emprisonnement qui apportait avec lui une affreuse
liberté à l'égard de tout ce qui n'était pas le présent, cette
odeur de mort qui stupéfiait tous ceux qu'elle ne tuait pas,
ils niaient enfin que nous ayons été ce peuple abasourdi
dont tous les jours une partie, entassée dans la gueule
d'un four, s'évaporait en fumées grasses, pendant que
l'autre, chargée des chaînes de l'impuissance et de la peur,
attendait son tour.

C'était là, en tout cas, ce qui éclatait aux yeux du docteur
Rieux qui, cherchant à gagner les faubourgs, cheminait
seul, à la fin de l'après-midi, au milieu des cloches, du canon,
des musiques, des cris assourdissants[1]. Son métier continuait, il n'y a pas de congé pour les malades. Dans la belle
lumière fine qui descendait sur la ville, s'élevaient les
anciennes odeurs de viande grillée et d'alcool anisé[2]. Autour
de lui des faces hilares se renversaient contre le ciel. Des
hommes et des femmes s'agrippaient les uns aux autres,
le visage enflammé, avec tout l'énervement et le cri du désir.
Oui, la peste était finie avec la terreur, et ces bras qui se
nouaient disaient en effet qu'elle avait été exil et séparation au sens profond du terme (**69**).

---

1. Cf. le mot de Nietzsche que Camus cite dans « l'Espoir et l'absurde dans
l'œuvre de Franz Kafka » (1943) [repris dans *le Mythe de Sisyphe*, p. 176] :
« Les grands problèmes sont dans la rue » ; 2. Ces deux odeurs caractérisent
les villes d'Algérie. Cf., dans *l'Envers et l'endroit*, « Entre oui et non » (p. 74),
et, dans *l'Eté*, « Petit guide pour des villes sans passé » (p. 100). Avec ces
émanations familières, surgit, comme chez Proust, le bonheur retrouvé.

--- **QUESTIONS** ---

69. Montrez avec quelle pénétration le « narrateur » analyse
les heures douces-amères des retrouvailles.

Pour la première fois, Rieux pouvait donner un nom à cet air de famille qu'il avait lu, pendant des mois, sur tous les visages des passants. Il lui suffisait maintenant de regarder autour de lui. Arrivés à la fin de la peste, avec la misère et les privations, tous ces hommes avaient fini par prendre le costume du rôle qu'ils jouaient déjà depuis longtemps, celui d'émigrants dont le visage d'abord, les habits maintenant, disaient l'absence et la patrie lointaine. A partir du moment où la peste avait fermé les portes de la ville, ils n'avaient plus vécu que dans la séparation, ils avaient été retranchés de cette chaleur humaine qui fait tout oublier. A des degrés divers, dans tous les coins de la ville, ces hommes et femmes avaient aspiré à une réunion qui n'était pas, pour tous, de la même nature, mais qui, pour tous, était également impossible. La plupart avaient crié de toutes leurs forces vers un absent, la chaleur d'un corps, la tendresse ou l'habitude. Quelques-uns, souvent sans le savoir, souffraient d'être placés hors de l'amitié des hommes, de n'être plus à même de les rejoindre par les moyens ordinaires de l'amitié qui sont les lettres, les trains et les bateaux. D'autres, plus rares, comme Tarrou peut-être, avaient désiré la réunion avec quelque chose qu'ils ne pouvaient pas définir, mais qui leur paraissait le seul bien désirable. Et faute d'un autre nom, ils l'appelaient quelquefois la paix (**70**).

Rieux marchait toujours. A mesure qu'il avançait, la foule grossissait autour de lui, le vacarme s'enflait et il lui semblait que les faubourgs qu'il voulait atteindre reculaient d'autant. Peu à peu, il se fondait dans ce grand corps hurlant dont il comprenait de mieux en mieux le cri qui, pour une part au moins, était son cri. Oui, tous avaient souffert ensemble, autant dans leur chair que dans leur âme, d'une vacance difficile, d'un exil sans remède et d'une soif jamais contentée[1]. Parmi ces amoncellements de morts, les timbres des ambulances, les avertissements de ce qu'il est convenu d'appeler le destin, le piétinement obstiné

---

1. Sur les souffrances de la séparation, cf. l'article paru dans *Combat*, le 22 décembre 1944, et repris dans *Actuelles* (p. 90).

——— **QUESTIONS** ———————————

70. Précisez les trois types de « réunion » auxquels les exilés de la peste avaient aspiré.

de la peur[1] et la terrible révolte de leur cœur, une grande rumeur n'avait cessé de courir et d'alerter ces êtres épouvantés, leur disant qu'il fallait retrouver leur vraie patrie. Pour eux tous, la vraie patrie se trouvait au-delà des murs de cette ville étouffée. Elle était dans ces broussailles odorantes sur les collines, dans la mer, les pays libres et le poids de l'amour[2]. Et c'était vers elle, c'était vers le bonheur, qu'ils voulaient revenir, se détournant du reste avec dégoût (**71**).

Quant au sens que pouvait avoir cet exil et ce désir de réunion, Rieux n'en savait rien. Marchant toujours, pressé de toutes parts, interpellé, il arrivait peu à peu dans des rues moins encombrées et pensait qu'il n'est pas important que ces choses aient un sens ou non, mais qu'il faut voir seulement ce qui est répondu à l'espoir des hommes (**72**).

Lui savait désormais ce qui était répondu et il l'apercevait mieux dans les premières rues des faubourgs, presque désertes. Ceux qui, s'en tenant au peu qu'ils étaient, avaient désiré seulement retourner dans la maison de leur amour, étaient quelquefois récompensés. Certes, quelques-uns d'entre eux continuaient de marcher dans la ville, solitaires, privés de l'être qu'ils attendaient. Heureux encore ceux qui n'avaient pas été deux fois séparés comme certains qui, avant l'épidémie, n'avaient pu construire, du premier coup, leur amour, et qui avaient aveuglément poursuivi, pendant des années, le difficile accord qui finit par sceller l'un à l'autre des amants ennemis. Ceux-là avaient eu comme Rieux lui-même, la légèreté de compter sur le temps : ils étaient séparés pour jamais. Mais d'autres, comme Rambert, que le docteur avait quitté le matin même en lui disant : « Courage, c'est maintenant qu'il faut avoir raison », avaient retrouvé sans hésiter l'absent qu'ils avaient cru perdu. Pour quelque temps au moins, ils seraient

---

1. Sur le sens propre et sur le sens figuré de cette notation, cf. p. 84;
2. C'était la « patrie » du jeune auteur de *Noces*. Camus ne l'a jamais oubliée.

──────── **QUESTIONS** ────────

71. La vision « unanimiste » d'Oran libérée.

72. Quelles réponses ont été données par le destin aux deux types d'espoir que représentent Rambert et Tarrou ? Pourquoi Paneloux n'est-il cité ni à la rubrique du bonheur ni à la rubrique de la paix ?

heureux. Ils savaient maintenant que s'il est une chose que l'on puisse désirer toujours et obtenir quelquefois, c'est la tendresse humaine[1] (**73**).

Pour tous ceux, au contraire, qui s'étaient adressés par-dessus l'homme à quelque chose qu'ils n'imaginaient même pas, il n'y avait pas eu de réponse. Tarrou avait semblé rejoindre cette paix difficile dont il avait parlé, mais il ne l'avait trouvée que dans la mort, à l'heure où elle ne pouvait lui servir de rien. Si d'autres, au contraire, que Rieux apercevait sur les seuils des maisons, dans la lumière déclinante, enlacés de toutes leurs forces et se regardant avec emportement, avaient obtenu ce qu'ils voulaient, c'est qu'ils avaient demandé la seule chose qui dépendît d'eux. Et Rieux, au moment de tourner dans la rue de Grand et de Cottard, pensait qu'il était juste que, de temps en temps au moins[2], la joie vînt récompenser ceux qui se suffisent de l'homme et de son pauvre et terrible amour (**74**).

✦✦✦

[Cottard a, jusqu'ici, bénéficié des événements : l'état de peste ralentissait l'enquête ouverte sur une louche affaire dans laquelle il avait trempé et lui permettait de réaliser de substantiels profits au « marché noir ».

Le retour à une situation normale sera catastrophique pour sa sécurité et sa prospérité. Le jour de la Libération, l'enthousiasme populaire excite en lui une crise de folie furieuse.]

Quand il fut sorti des grandes rues bruyantes de la fête et au moment de tourner dans la rue de Grand et de Cottard,

---

1. *La tendresse humaine :* chez Shakespeare, cette formule a une tout autre résonance. Lady Macbeth, pressée de voir son mari accéder à la royauté à la faveur d'un crime, s'écrie : « Mais je crains ta nature ; elle est trop pleine du lait de la tendresse humaine pour prendre le chemin le plus proche. » (*Macbeth*, I, v) ; **2.** Rieux, personnellement, n'a pas eu ce bonheur.

──── **QUESTIONS** ────

73. L'encouragement ultime que Rieux adresse à Rambert ne vaut-il pas aussi bien pour l'un que pour l'autre ? Précisez sa portée.

74. Montrez quelles différences séparent aux yeux de Rieux la « tendresse humaine », que l'on peut parfois obtenir, et la « paix », qui demeure à jamais inaccessible ? Expliquez la dernière phrase.

le docteur Rieux, en effet, fut arrêté par un barrage d'agents.
Il ne s'y attendait pas. Les rumeurs lointaines de la fête
faisaient paraître le quartier silencieux et il l'imaginait
aussi désert que muet[1]. Il sortit sa carte.

« Impossible, Docteur, dit l'agent. Il y a un fou qui tire
sur la foule. Mais restez là, vous pourrez être utile. »

A ce moment, Rieux vit Grand qui venait vers lui. Grand
ne savait rien non plus. On l'empêchait de passer et il
avait appris que des coups de feu partaient de sa maison.
De loin, on voyait en effet la façade, dorée par la dernière
lumière d'un soleil sans chaleur. Autour d'elle, se décou-
pait un grand espace vide qui allait jusqu'au trottoir d'en
face. Au milieu de la chaussée, on apercevait distinctement
un chapeau et un bout d'étoffe sale. Rieux et Grand pouvaient voir très loin, de l'autre côté de la rue, un cordon
d'agents, parallèle à celui qui les empêchait d'avancer,
et derrière lequel quelques habitants du quartier passaient
et repassaient rapidement. En regardant bien, ils aperçurent aussi des agents, le revolver au poing, tapis dans les
portes des immeubles qui faisaient face à la maison. Tous
les volets de celle-ci étaient fermés. Au second cependant,
un des volets semblait à demi décroché[2]. Le silence était
complet dans la rue. On entendait seulement des bribes
de musique qui arrivaient du centre de la ville (**75**).

A un moment, d'un des immeubles en face de la maison,
deux coups de revolver claquèrent et des éclats sautèrent
du volet démantibulé. Puis, ce fut de nouveau le silence.
De loin, et après le tumulte de la journée, cela paraissait
un peu irréel à Rieux.

« C'est la fenêtre de Cottard, dit tout d'un coup Grand,
très agité. Mais Cottard a pourtant disparu.

— Pourquoi tire-t-on ? demanda Rieux à l'agent.

---

1. Pour imaginer la pérégrination de Rieux vers le quartier de Montplaisant,
voir le plan d'Oran, p. 105 ; **2.** La maison n'a que deux étages. C'est au second
qu'habitent Grand et Cottard.

───────── **QUESTIONS** ─────────

75. Ce décor ressemble, à l'heure et à l'éclairage près, à celui
des dernières séquences du film de Marcel Carné, *Le jour se lève*,
qui montre le siège soutenu dans un immeuble par un homme
que traque la police (1939). Comparez les deux scènes et étudiez
le découpage cinématographique du récit chez Camus.

— On est en train de l'amuser. On attend un car avec le matériel nécessaire, parce qu'il tire sur ceux qui essaient d'entrer par la porte de l'immeuble. Il y a eu un agent d'atteint.

— Pourquoi a-t-il tiré?

— On ne sait pas. Les gens s'amusaient dans la rue. Au premier coup de revolver, ils n'ont pas compris. Au deuxième, il y a eu des cris, un blessé, et tout le monde s'est enfui. Un fou, quoi! »

Dans le silence revenu, les minutes paraissaient se traîner. Soudain, de l'autre côté de la rue, ils virent déboucher un chien, le premier que Rieux voyait depuis longtemps, un épagneul sale que ses maîtres avaient dû cacher jusque-là, et qui trottait le long des murs[1]. Arrivé près de la porte, il hésita, s'assit sur son arrière-train et se renversa pour dévorer ses puces. Plusieurs coups de sifflet venus des agents l'appelèrent. Il dressa la tête, puis se décida à traverser lentement la chaussée pour aller flairer le chapeau. Au même moment, un coup de revolver partit du second et le chien se retourna comme une crêpe, agitant violemment ses pattes pour se renverser enfin sur le flanc, secoué par de longs soubresauts. En réponse, cinq ou six détonations, venues des portes en face, émiettèrent encore le volet. Le silence retomba. Le soleil avait tourné un peu et l'ombre commençait à approcher de la fenêtre de Cottard. Des freins gémirent doucement dans la rue derrière le docteur.

« Les voilà », dit l'agent.

Des policiers débouchèrent dans leur dos, portant des cordes, une échelle et deux paquets oblongs enveloppés de toile huilée. Ils s'engagèrent dans une rue qui contournait le pâté de maisons, à l'opposé de l'immeuble de Grand. Un moment après, on devina plutôt qu'on ne vit une certaine agitation dans les portes de ces maisons. Puis on attendit. Le chien ne bougeait plus, mais il baignait à présent dans une flaque sombre.

Tout d'un coup, parti des fenêtres des maisons occupées par les agents, un tir de mitraillette se déclencha. Tout au long du tir, le volet qu'on visait encore s'effeuilla littéra-

---

1. Au temps de l'épidémie, il avait été ordonné d'abattre les chiens et les chats susceptibles de transporter des puces, agents habituels de la contagion.

lement et laissa découverte une surface noire où Rieux et Grand, de leur place, ne pouvaient rien distinguer. Quand le tir s'arrêta, une deuxième mitraillette crépita d'un autre angle, une maison plus loin. Les balles entraient sans doute dans le carré de la fenêtre, puisque l'une d'elles fit sauter un éclat de brique. A la même seconde, trois agents traversèrent en courant la chaussée et s'engouffrèrent dans la porte d'entrée. Presque aussitôt, trois autres s'y précipitèrent et le tir de la mitraillette cessa. On attendit encore. Deux détonations lointaines retentirent dans l'immeuble. Puis une rumeur s'enfla et on vit sortir de la maison, porté plutôt que traîné, un petit homme en bras de chemise qui criait sans discontinuer. Comme par miracle, tous les volets clos de la rue s'ouvrirent et les fenêtres se garnirent de curieux, tandis qu'une foule de gens sortait des maisons et se pressait derrière les barrages. Un moment, on vit le petit homme au milieu de la chaussée, les pieds enfin au sol, les bras tenus en arrière par les agents. Il criait. Un agent s'approcha de lui et le frappa deux fois, de toute la force de ses poings, posément, avec une sorte d'application.

« C'est Cottard, balbutiait Grand. Il est devenu fou (**76**). »

Cottard était tombé. On vit encore l'agent lancer son pied à toute volée dans le tas qui gisait à terre. Puis un groupe confus s'agita et se dirigea vers le docteur et son vieil ami.

« Circulez! » dit l'agent.

Rieux détourna les yeux quand le groupe passa devant lui (**77**).

Grand et le docteur partirent dans le crépuscule finissant. Comme si l'événement avait secoué la torpeur où s'endormait le quartier, ces rues écartées s'emplissaient à nouveau du bourdonnement d'une foule en liesse. Au pied de la maison, Grand dit au revoir au docteur. Il allait travailler. Mais au moment de monter, il lui dit qu'il avait écrit à

—————— **QUESTIONS** ——————

76. De Cottard, le « narrateur » nous a dit plus haut qu'il avait « un cœur ignorant, c'est-à-dire solitaire ». Que pensez-vous de ce signalement? Quel rôle joue finalement, parmi les protagonistes de *la Peste*, ce personnage d'exception?

77. Comment vous expliquez-vous le silence de Rieux?

Jeanne[1] et que, maintenant, il était content. Et puis, il avait recommencé sa phrase : « J'ai supprimé, dit-il, tous les adjectifs (**78**). »

Et avec un sourire malin, il enleva son chapeau dans un salut cérémonieux[2]. Mais Rieux pensait à Cottard et le bruit sourd des poings qui écrasaient le visage de ce dernier le poursuivait pendant qu'il se dirigeait vers la maison du vieil asthmatique. Peut-être était-il plus dur de penser à un homme coupable qu'à un homme mort (**79**).

[Arrivé chez le vieil asthmatique, le docteur, songeant au soir de novembre qui avait scellé son amitié avec Tarrou, monte à nouveau sur la terrasse. L'obscurité est maintenant tombée.]

Le grand ciel froid scintillait au-dessus des maisons et, près des collines, les étoiles durcissaient comme des silex. Cette nuit n'était pas si différente de celle où Tarrou et lui étaient venus sur cette terrasse pour oublier la peste. Mais, aujourd'hui, la mer était plus bruyante qu'alors, au pied des falaises. L'air était immobile et léger, délesté des souffles salés qu'apportait le vent tiède de l'automne. La rumeur de la ville, cependant, battait toujours le pied des terrasses avec un bruit de vague. Mais cette nuit était celle de la délivrance, et non de la révolte. Au loin, un noir rougeoiement indiquait l'emplacement des boulevards et des places illuminés[3]. Dans la nuit maintenant libérée, le désir devenait sans entraves et c'était son grondement qui parvenait jusqu'à Rieux (**80**).

---

1. C'est ce qu'il avait eu l'intention de faire, à Noël, juste avant de tomber malade; 2. Ce geste rappelle une amicale connivence entre Grand et le docteur. Cf. p. 66 et p. 118; 3. Le rétablissement de l'éclairage normal a été une des premières mesures prises par les autorités.

--------- **QUESTIONS** ---------

78. Pourquoi Grand, après l'autodafé du manuscrit, s'est-il remis à l'élaboration de son chef-d'œuvre? Pourquoi la révélation lui est-elle venue brusquement que sa phrase souffrait surtout d'une pléthore d'adjectifs?

79. Tarrou et Cottard : deux sorts déprimants pour Rieux. Pourquoi celui de Cottard l'obsède-t-il davantage?

80. Nuit de novembre, nuit de février; montrez avec précision le changement d'atmosphère dans les deux évocations du même panorama (cf. *supra*, p. 104).

Du port obscur montèrent les premières fusées des réjouissances officielles. La ville les salua par une longue et sourde exclamation. Cottard, Tarrou, ceux et celle que Rieux avait aimés et perdus, tous, morts ou coupables, étaient oubliés. Le vieux avait raison, les hommes étaient toujours les mêmes[1]. Mais c'était leur force et leur innocence et c'est ici que, par-dessus toute douleur, Rieux sentait qu'il les rejoignait (**81**). Au milieu des cris qui redoublaient de force et de durée, qui se répercutaient longuement jusqu'au pied de la terrasse, à mesure que les gerbes multicolores s'élevaient plus nombreuses dans le ciel, le docteur Rieux décida alors de rédiger le récit qui s'achève ici[2], pour ne pas être de ceux qui se taisent, pour témoigner en faveur de ces pestiférés, pour laisser du moins un souvenir de l'injustice et de la violence qui leur avaient été faites[3], et pour dire simplement ce qu'on apprend au milieu des fléaux, qu'il y a dans les hommes plus de choses à admirer que de choses à mépriser[4] (**82**).

Mais il savait cependant que cette chronique ne pouvait pas être celle de la victoire définitive[5]. Elle ne pouvait être que le témoignage de ce qu'il avait fallu accomplir et que, sans doute, devraient accomplir encore contre la terreur et son arme inlassable, malgré leurs déchirements per-

---

1. C'est, en effet, ce qu'a dit à Rieux l'homme aux deux marmites, philosophe toujours caustique; 2. Nous venons seulement d'apprendre que le « narrateur » anonyme était le principal personnage. Cf. p. 38; 3. Cf. la phrase tirée d'*Obermann*, roman de Senancour (1770-1846), que Camus a citée en exergue à la quatrième *Lettre à un ami allemand* (1944-1945) : « L'homme est périssable. Il se peut; mais périssons en résistant, et si le néant nous est réservé, ne faisons pas que ce soit une justice. » Dans le corps même de la lettre, on peut lire : « Nous avons à faire la preuve que nous ne méritons pas tant d'injustice »; 4. En septembre 1939, Camus s'était fixé comme programme : « Chercher d'abord ce qu'il y a de valable dans chaque homme. » (*Carnets*, p. 171.) En mars 1943, le bilan est positif et Camus trace la formule qu'il prêtera à Rieux (Carnets inédits); 5. Il l'avait dit à Tarrou dès leur premier entretien. Cf. p. 72.

--- **QUESTIONS** ---

81. Rieux aurait bien des motifs de condamner la faculté d'oubli de ses compatriotes. Pourquoi, au contraire, cette faiblesse les lui rend-elle plus fraternels ?

82. « Témoigner contre l'injustice et la violence » : J.-P. Sartre a contesté que ce soit là un idéal suffisant. Qu'en pensez-vous ? Rieux borne-t-il à cette tâche sa mission ?

sonnels, tous les hommes qui, ne pouvant être des saints et refusant d'admettre les fléaux, s'efforcent cependant d'être des médecins[1] (**83**).

Écoutant, en effet, les cris d'allégresse qui montaient de la ville, Rieux se souvenait que cette allégresse était toujours menacée. Car il savait ce que cette foule en joie ignorait, et qu'on peut lire dans les livres, que le bacille de la peste ne meurt ni ne disparaît jamais[2], qu'il peut rester pendant des dizaines d'années endormi dans les meubles et le linge, qu'il attend patiemment (**84**) dans les chambres, les caves, les malles, les mouchoirs et les paperasses[3], et que, peut-être, le jour viendrait où, pour le malheur et l'enseignement des hommes, la peste réveillerait ses rats et les enverrait mourir dans une cité heureuse[4] (**85**).

1. Telle avait été l'aspiration de Tarrou. Rieux, pour sa part, n'avait jamais rêvé d'être un saint. Cf. p. 114; **2.** Cf. le mot du médecin Laurent Pasquier, dans la *Chronique des Pasquier*, de Georges Duhamel, à qui Rieux ressemble par plus d'un trait : « Il n'y a de rémission que sur les planètes mortes »; **3.** Résumant une longue énumération qui figure dans le *Traité de la peste* du Dr Manget (1721), A. Camus ajoute une notation moderne : les paperasses, instruments typiques d'une bureaucratie tracassière; **4.** Sur les risques de retour offensif de l'esprit de tyrannie et, en particulier, du racisme, cf., dans *Actuelles*, l'allocution prononcée à la salle de la Mutualité le 15 mars 1945 et l'article publié dans *Combat* le 10 mai 1947.

─────── **QUESTIONS** ───────

83. Rieux, héros de la *solidarité*, est, dans cet épilogue, livré à la *solitude*. Précisez le sens, l'intérêt, la portée de cette situation paradoxale. Cf., dans *l'Exil et le royaume*, le thème de la nouvelle intitulée « Jonas ».

84. « Le microbe de la peste attend pendant des années », dit un des auteurs que Camus a consultés. Quelle nuance introduit dans cet énoncé l'adverbe *patiemment*.

85. Optimisme ? Pessimisme ? Sur quelle impression tournez-vous la dernière page du livre ?

JUGEMENTS

I. D'Albert Camus sur la création littéraire.

De toutes les écoles de la patience et de la lucidité, la création est la plus efficace. Elle est aussi le bouleversant témoignage de la seule dignité de l'homme : la révolte tenace contre sa condition, la persévérance dans un effort tenu pour stérile. Elle demande un effort quotidien, la maîtrise de soi, l'appréciation exacte des limites du vrai, la mesure et la force.

Le Mythe de Sisyphe (1942).

L'art est une exigence d'impossible mise en forme. Lorsque le cri le plus déchirant trouve son langage le plus ferme, la révolte satisfait à sa vraie exigence et tire de cette fidélité à elle-même une force de création. Bien que cela heurte les préjugés du temps, le plus grand style en art est l'expression de la plus haute révolte. Comme le vrai classicisme n'est qu'un romantisme dompté, le génie est une révolte qui a créé sa propre mesure. C'est pourquoi il n'y a pas de génie, contrairement à ce qu'on enseigne aujourd'hui, dans la négation et le pur désespoir.

L'Homme révolté (1951).

L'art n'est pas à mes yeux une réjouissance solitaire. Il est un moyen d'émouvoir le plus grand nombre d'hommes en leur offrant une image privilégiée des souffrances et des joies communes. Il oblige donc l'artiste à ne pas s'isoler ; il le soumet à la vérité la plus humble et la plus universelle. Et celui qui, souvent, a choisi son destin d'artiste parce qu'il se sentait différent, apprend bien vite qu'il ne nourrira son art, et sa différence, qu'en avouant sa ressemblance avec tous. L'artiste se forge dans cet aller retour perpétuel de lui aux autres, à mi-chemin de la beauté dont il ne peut se passer et de la communauté à laquelle il ne peut s'arracher.

Discours de Suède (1957).

II. DE DIVERS CRITIQUES SUR L'ŒUVRE D'ALBERT CAMUS.

Sauver l'homme par l'amour et par la raison ; le protéger contre le mal naturel et l'oppression sociale ; faire confiance à sa nature, qui est bonne, en luttant contre sa destinée qui est mauvaise ; et n'en appeler jamais qu'aux seules forces humaines, tel est, éclairé par la conscience d'un absurde qui a singulièrement rétréci son domaine, l'humanisme de Camus. Humanisme laïque et positif, c'est bien évident : l'idée d'une médiation divine, le climat de la grâce n'ont rien à y voir.

Pierre-Henri Simon,
L'Homme en procès (1950).

Le mérite exceptionnel de Camus et son génie, c'est d'avoir incarné à nos yeux l'humanité la plus haute, et de n'être pas seulement un des écrivains les plus importants, mais encore un des plus sensibles et des plus généreux de son temps. Il peut penser que l'école d'Afrique du Nord n'existe pas, mais l'Afrique du Nord a, en sa personne, donné naissance à un maître à qui toute une longue suite d'écrivains, d'origines chrétienne et musulmane, doivent leur faim de justice, leur amour des hommes et une exigence sans limite à l'égard de soi-même.

Jules Roy,
Les Nouvelles littéraires (24 octobre 1957).

Camus a non seulement lutté contre la paresse de l'intelligence (son œuvre est comme l'ivresse de la lucidité), il s'est encore plus opposé à la paresse du cœur. S'il n'a jamais été fatigué de combattre, c'est qu'il n'a jamais été fatigué d'aimer. Il est l'homme de notre époque qui a donné la meilleure réponse à l'interrogation de Nietzsche : « Qu'est-ce qui est noble ? »

Jean Grenier,
Le Figaro littéraire (26 octobre 1957).

Dans l'intelligence si équitable, si pénétrante, de Camus, ce qui frappe, c'est la perspicacité [...] Personne n'est moins influençable que lui, personne n'est moins dupé par les apparences, personne n'est plus indépendant.

Roger Martin du Gard,
Le Figaro littéraire (26 octobre 1957).

On n'a pleinement choisi de vivre que si l'on a supposé que la vie pouvait être absurde, le monde injuste, la divinité sourde. Il faut tout perdre pour tout accepter, et suivant sur le sens de la vie la démarche que Descartes avait suivie sur l'existence du monde, Camus admet d'abord que la vie n'a aucun sens. C'est alors qu'il choisit en faveur de la vie... Stoïcien, mais sans tristesse et sans pédantisme.

C'est rare un stoïcien jeune, un stoïcien sensible, sensuel, généreux [...]. Mais quand on décide de vivre par courage et par amour, après avoir reconnu les limites, la dureté et l'injustice de l'existence humaine, les couleurs du monde et la chaleur des hommes reparaissent et s'avivent, comme lorsque l'on est passé par un renoncement.

R.-M. Albérès,
Les Nouvelles littéraires (7 janvier 1960).

Il y avait en lui une sorte de Saint-Just, une pureté éclatante, une fièvre de dignité. Il craignait plus que tout que nous nous réinstallions dans la médiocrité. Nul n'a fait autant d'efforts pour que tout ce que nous avions rêvé pour la France, dans la nuit et le silence de la servitude, devînt le principe d'une nouvelle vie.

Il souhaitait que la politique fût d'abord une morale, que la presse devînt une grande force spirituelle et critique, moins préoccupée de recruter des clientèles que de former les esprits. Il s'agissait de « redonner à un pays sa voix profonde ». Il formulait ses vœux tout extraordinaires du ton le plus simple et sans jamais hausser la voix. Et c'est ainsi qu'il s'est fait suivre de toute la jeunesse. Il suffisait de dire toujours la vérité.

Jean Guéhenno,
Le Figaro littéraire (9 janvier 1960).

En vérité les jeunes gens se moquent des mots qui ne sont que des mots. Ils attendent d'un auteur qu'il soit un homme, parlant à d'autres hommes de la condition humaine. C'est cela qui fait l'importance d'un écrivain : la réponse qu'il donne à l'apparente absurdité de la vie. Le jeune homme a faim de « moralité », quoi qu'on en pense. C'est l'honneur de Camus de n'avoir écrit que pour donner une réponse.

François Mauriac,
Le Figaro littéraire (16 janvier 1960).

A l'exemple des plus terribles poètes des crimes humains, l'humanisme de Camus n'a rien voulu ménager de la vérité sur l'homme, afin de fonder plus loyalement l'appel à sa valeur. Il a déclaré : « Au plus noir de notre nihilisme, j'ai cherché seulement des raisons de dépasser ce nihilisme. » Il a écrit encore : « J'installe ma lucidité au milieu de ce qui la nie. J'exalte l'honneur devant ce qui l'écrase... » Le combat de la lumière humaine et des noirceurs de la vie prend ainsi un aspect héroïque. Mais on sait bien que, chez Camus, le juste se met en état de gagner la qualité de héros.

André Rousseaux,
« L'Homme de lumière », *la Table Ronde* (février 1960).

Au fond, je crois bien qu'il était essentiellement un être d'amour. Non pas de cet amour exubérant, bruyant, affiché, qui n'est pas toujours de très bon aloi; mais au contraire, de cet amour profond qui vous rend prévenant, pudique, écorché, délicat. De cet amour qui déteste la muflerie et l'insolence. Camus aimait. Il aimait les êtres, il aimait les manifestations les plus simples des hommes, il partageait avec ses contemporains les joies et les peines. Il savait communier avec tous. [...] C'est pourquoi, comme l'a dit François

Mauriac, il était devenu comme la conscience de toute une génération. Nous sentions s'élever non loin de nous une sorte de phare. Solidement et lentement construit, un phare bâti sur des fondations infaillibles, un phare qui projetait avec une intensité croissante un rayonnement d'espérance. D'une espérance d'autant plus authentique et valable qu'elle partait de la conscience, du goût de la justice, du respect humain et de l'amour de la vie.

Jean-Louis Barrault,
« Le Frère », *N. R. F.*(1er mars 1960).

III. Sur « la Peste ».

Les héros de Camus ne sont pas très réconfortants. Ils ont l'air de porter le poids du ciel, de le savoir et de savoir aussi qu'ils n'en seront jamais libérés, et de savoir aussi que sans doute cet immense effort qui est exigé d'eux n'a aucun sens objectif et ne sert strictement à rien. Ce n'est pas très drôle. Mais il est impossible de ne pas admirer l'implacable rigueur du romancier qui pousse le troupeau de ses personnages d'un pas tranquille et sûr vers leur destin, à cette solitude héroïque ou lâche selon le cas, mais toujours cruelle, en tout cas énigmatique, où ils ne peuvent ni atteindre la paix ou le bonheur, ni même accomplir, si modestes soient-elles, leurs ambitions terrestres.

R.-L. Bruckberger,
Le Cheval de Troie (août-septembre 1947).

Cette œuvre ordonnée, comme paisible, est frémissante de voix diverses et adverses. Il y a en elle à la fois l'absurde et la révolte, l'indifférence et la passion, la sécheresse et le lyrisme, l'abstraction et la sensualité, le sens de l'éternel et celui du temps... Mais trop souvent Camus *compose*. Ainsi, dans *la Peste*, les voix diverses s'éteignent en se rejoignant.

Gaëtan Picon,
Panorama de la nouvelle littérature française (1949).

Cette œuvre n'a cessé d'appeler sur soi des jugements contradictoires. Elle irrite les uns, comble les autres, éveille partout des résistances ou des complicités. Ceux qui déclarent que c'est un des ouvrages les plus significatifs de notre époque ne se trompent pas; mais n'ont pas tort ceux qui le trouvent décevant [...]. Ces divergences sont révélatrices : de façon paradoxale, c'est précisément parce que *la Peste* est un livre de réconciliation qu'elle suscite la controverse.

Rachel Bespaloff,
« Le Monde du condamné à mort », *Esprit* (janvier 1950).

SUJETS D'EXPOSÉS ET DE DEVOIRS

EXPOSÉS :

— Oran dans *la Peste* : cadre, être, symbole.
— La mer dans *la Peste*.
— Les femmes dans *la Peste*.
— Amour et amitié dans *la Peste*.
— Le lyrisme de l'exil dans *la Peste*.
— L'autobiographie dans *la Peste*.
— Solitude et solidarité dans *la Peste*.
— Le conflit du bonheur et de l'héroïsme dans *la Peste*.
— L'obsession du mal et la hantise de la pureté dans *la Peste*.
— La mort dans *la Peste*.
— Dieu dans *la Peste*.
— Réalisme, poésie et mythe dans *la Peste*.
— Ironie et humour dans *la Peste*.
— La technique du récit dans *la Peste*.
— Le classicisme d'Albert Camus dans *la Peste*.

ESSAIS :

● Tracez le portrait physique et moral de Rieux, de Tarrou, de Rambert, de Grand, de Cottard, de Paneloux et de la mère de Rieux.
● Rieux écrit à sa femme pour lui donner de ses nouvelles et évoquer l'atmosphère d'Oran sous la peste. Rédigez cette lettre.
● A l'occasion des funérailles du petit Othon, le père Paneloux prononce quelques mots. Faites-le parler.
● Comme dans le film de Carol Reed, *le Troisième Homme* (1949), on a volé, pour les vendre au marché noir, des médicaments indispensables au docteur Rieux. Quelle est la réaction du pacifique Tarrou, responsable du dépôt ? Il relate l'incident dans ses carnets. Écrivez cette page.
● Rambert a été chargé par la Radiodiffusion de faire un « compte rendu d'ambiance » le jour de la Libération d'Oran. Assurez le reportage à sa place.
● Imaginez un dialogue entre deux jeunes lecteurs de *la Peste*, l'un adversaire, l'autre admirateur de Camus.

DISSERTATIONS :

● « On apprend au milieu des fléaux, dit le narrateur de *la Peste*, qu'il y a dans les hommes plus de choses à admirer que de choses à mépriser. » André Malraux écrit dans la Préface du *Temps du mépris* (1935) : « On peut aimer que le sens du mot art soit tenter de donner conscience à des hommes de la grandeur qu'ils ignorent en eux. »

Comparez avec soin les deux formules et dites celle qui vous paraît traduire de la manière la plus appropriée la signification de *la Peste*.

● Albert Camus déclarait dans un article publié en 1948 et repris dans *Actuelles*, p. 249 : « Le monde où je vis me répugne, mais je me sens solidaire des hommes qui y souffrent. »

Ce propos vous paraît-il constituer une introduction valable à *la Peste* ?

● Un adversaire de Camus attribue dédaigneusement aux personnages de *la Peste* « une morale de Croix-Rouge » (Francis Jeanson, *les Temps modernes*, mai 1952). Expliquez et discutez cette opinion.

● Albert Camus a dit de *la Peste* que c'était le plus antichrétien de tous ses livres. Jugez-vous effectivement cet ouvrage « antichrétien » ?

● Un essayiste étranger reproche à Albert Camus de nous présenter non des individus de chair et de sang, mais des créatures factices destinées seulement à justifier des démonstrations philosophiques. « Dans ses romans, écrit le critique, les hommes sont des abstractions stylisées, et c'est cela qui me paraît faire de lui un romancier imparfait autant qu'un humaniste discutable. » (Angus Wilson, « Albert Camus », *N. R. F.* 1er mars 1960.)

Que valent ces assertions si on les applique aux personnages de *la Peste* ?

● Certains adversaires d'Albert Camus ont cité à propos de *la Peste* l'aphorisme célèbre d'André Gide : « C'est avec de beaux sentiments que l'on fait de la mauvaise littérature. »

Quelle réponse feriez-vous à une telle mise en cause ?

● Expliquez et commentez le jugement de M. Gaëtan Picon *(Panorama de la nouvelle littérature française)* cité *supra*, p. 141.

● Que pensez-vous de l'appréciation portée par Rachel Bespaloff sur *la Peste* dans le jugement cité *supra*, p. 141 ?

TABLE DES MATIÈRES

Illustration de la couverture : L'illustration qui orne la couverture représente le costume que portaient jusqu'au XVIIIᵉ siècle les médecins de la peste. Elle figure dans plusieurs ouvrages que Camus a consultés. Au début du roman, Rieux rêve à cet affublement carnavalesque. (Cf. p. 50 et note 3.)

Imp. LAROUSSE, 1 à 9, rue d'Arcueil, Montrouge (Seine).
Juin 1965. — Dépôt légal 1965-2ᵉ. — Nᵒ 3266. — Nᵒ de série Editeur 3322.
IMPRIMÉ EN FRANCE (*Printed in France*). — 31.550 C-10-65.

les dictionnaires Larousse

sont constamment tenus à jour :

en un volume

PETIT LAROUSSE

Une netteté incomparable (imprimé en offset). Les mots les plus récents; toutes les définitions renouvelées. Des renseignements encyclopédiques rigoureusement à jour aussi bien dans la partie « vocabulaire » que dans la partie « noms propres ».
1 808 pages (14,5 × 21 cm), 5 130 ill. et 114 cartes en noir, 48 h.-t. en couleurs, atlas de 24 pages.

Existe également en édition de luxe, papier bible, reliure pleine peau.

LAROUSSE CLASSIQUE

Le dictionnaire du baccalauréat, de la 6e à l'examen : sens moderne et classique des mots, tableaux de révisions, cartes historiques, etc.
1 290 pages (14 × 20 cm), 53 tableaux historiques, 153 planches en noir, 48 h.-t. et 64 cartes en noir et en couleurs.

DICTIONNAIRE
DU VOCABULAIRE ESSENTIEL

par G. Matoré, directeur des Cours de Civilisation française à la Sorbonne. Les 5 000 mots fondamentaux de la langue française, définis à l'aide de ce même vocabulaire, avec de nombreux exemples d'application. 360 pages (13 × 18 cm), 230 illustrations.

en deux volumes (21 × 30 cm)

LAROUSSE UNIVERSEL

Plus de 2 000 pages. Le dictionnaire du « juste milieu ».
138 423 articles, des milliers de gravures, de planches en noir et en couleurs, 535 reproductions des chefs-d'œuvre de l'Art.

en dix volumes (21 × 27 cm)

GRAND LAROUSSE ENCYCLOPÉDIQUE

Dans l'ordre alphabétique, toute la langue française, toutes les connaissances humaines. 10 240 pages, 450 000 acceptions, 32 516 illustrations et cartes en noir, 314 hors-texte en couleurs.

dictionnaires pour l'étude du langage

une collection d'ouvrages reliés (13,5 × 20 cm) indispensables pour une connaissance approfondie de la langue française et une sûre appréciation de sa littérature :

DICTIONNAIRE DES LOCUTIONS FRANÇAISES
par Maurice Rat. 462 pages; édition augmentée.

DICTIONNAIRE DES DIFFICULTÉS DE LA LANGUE FRANÇAISE
couronné par l'Académie française. Par Adolphe V. Thomas. 448 pages.

DICTIONNAIRE DES SYNONYMES
couronné par l'Académie française. Par R. Bailly. 640 pages.

DICTIONNAIRE ANALOGIQUE
par Ch. Maquet. Les mots par les idées, les idées par les mots. 600 pages.

NOUVEAU DICTIONNAIRE ÉTYMOLOGIQUE
par A. Dauzat, J. Dubois et H. Mitterand. 850 pages. *Nouveauté.*

DICTIONNAIRE D'ANCIEN FRANÇAIS
par R. Grandsaignes d'Hauterive. 604 pages.

DICTIONNAIRE DES RACINES
des langues européennes. Par R. Grandsaignes d'Hauterive. 364 pages.

DICTIONNAIRE DES NOMS DE FAMILLE
et prénoms de France. Par A. Dauzat. 652 pages

DICTIONNAIRE DES NOMS DE LIEUX
de France. Par A. Dauzat et Ch. Rostaing. 720 pages.

DICTIONNAIRE DES PROVERBES
sentences et maximes. Par M. Maloux. 648 pages.

DICTIONNAIRE DES RIMES FRANÇAISES
méthodique et pratique. Par Ph. Martinon. 296 pages.

DICTIONNAIRE COMPLET DES MOTS CROISÉS
préface de R. Touren. 896 pages. *Nouveauté.*

ouvrages scolaires
pour l'enseignement du français

collection "le français"

Cette nouvelle collection est conforme aux programmes officiels et présente un choix nouveau de textes ; les questionnaires proposent une série de sujets de narration et d'exercices obligeant l'élève à bien pénétrer les extraits présentés. Des notices littéraires et historiques précèdent chaque groupe de textes.

LE FRANÇAIS EN SIXIÈME
par P. Durand et L. Roullois.

LE FRANÇAIS EN CINQUIÈME
par P. Durand et L. Roullois.

LE FRANÇAIS EN QUATRIÈME
par P. Durand, J. Guislin et L. Roullois.

LE FRANÇAIS EN TROISIÈME *nouveauté*
par S. Baudouin, F. Corteggiani et P. Durand.

volumes cartonnés (15 × 21 cm).

---

cours de grammaire

par R. Lagane, professeur agrégé, J. Dubois, professeur agrégé, et G. Jouannon, professeur de C. C. ; le cours comprend :

une **GRAMMAIRE FRANÇAISE** pour toute la scolarité — trois volumes d'**EXERCICES DE FRANÇAIS** : classe de sixième — classe de cinquième — classes de quatrième et troisième.

volumes cartonnés (14,5 × 20 cm).

dans la collection in-quarto Larousse

LITTÉRATURE FRANÇAISE

en **DEUX VOLUMES** (21 × 30 cm), **publiée
sous la direction de J. Bédier et P. Hazard,
de l'Académie française; édition refondue et
augmentée par P. Martino.**

*Cette édition de la célèbre histoire de la Littérature française
de Bédier et Hazard se présente avec toutes les garanties
de la recherche scientifique la plus consciencieuse et la plus
actuelle. Elle accorde au mouvement littéraire contemporain
la place qui doit lui revenir.*

*Ces deux volumes forment de plus, par leurs centaines d'illus-
trations en noir et en couleurs, une grande et magnifique
« littérature française en images ».*

1010 pages, 1107 illustrations, 12 planches en couleurs.
Index alphabétique de 4 000 noms.

dans la même collection :

HISTOIRE DE FRANCE (2 vol.) — LA FRANCE, géogra-
phie, tourisme (2 vol.) — L'ART ET L'HOMME (3 vol.) —
ASTRONOMIE, les astres, l'univers — LA TERRE, notre
planète — LA MONTAGNE — LA MER — LA VIE
DES PLANTES — LA VIE DES ANIMAUX (2 vol.) —
GÉOGRAPHIE UNIVERSELLE LAROUSSE (3 vol.) —
HISTOIRE UNIVERSELLE (2 vol.) — LA VIE —
MYTHOLOGIES (2 vol.) — LA SCIENCE CONTEM-
PORAINE (2 vol.) — LA MUSIQUE, les hommes, les
instruments, les œuvres (2 vol.), *nouveauté.*